GARY M. DOUGLA

EL DINERO
NO ES EL
PROBLEMA,
TÚ LO ERES

ACCESS
CONSCIOUSNESS®
PUBLISHING

ACCESS CONSCIOUSNESS PUBLISHING COMPANY, LLC
Santa Bárbara, California
www. AccessConsciousnessPublishing. com
Segunda Edición 2013

Impreso en los Estados Unidos de América
Impresión Internacional en el Reino Unido y Australia
Primera Edición realizada por la Editorial Big Country en 2012

ISBN: 978-1-63493-132-8

Diseño de Cubierta: Katarina Wallentin
Imagen de Cubierta ©Alexey Audeev Istockphoto
Maquetismo: Anastasia Creatives
Imágenes Interiores © Khalus Istockphoto
Traducción y Edición en Español: Lilian Jordán U.

Contenido

Contenido

Introducción

Este libro ha sido escrito para personas que viven en un constante estado de dificultad en relación al dinero, ya sea que esto se trate de que gastan mucho, que no tienen suficiente, o que tienen demasiado.

Yo soy Gary Douglas, el Fundador de Access, un sistema de transformación energética que provee a las personas de herramientas que pueden usar para desbloquear sus limitaciones y discapacidades; y crear algunas, bastante increíbles y maravillosas nuevas posibilidades para ellos mismos. En este libro mi amigo y colaborador Dain Heer y yo compartimos procesos; herramientas y Puntos de Vista sobre el dinero, que tú, podrás usar para cambiar la manera en que el dinero fluye en tú vida.

Este libro está basado en nuestro Seminario de Access sobre El Dinero; mismo que fue impartido en diferentes ciudades por todos los EEUU, en Costa Rica, Australia y Nueva Zelandia. Comenzamos ofreciendo un seminario sobre el dinero, porque descubrimos que las personas siempre estaban tratando de encontrar una solución a lo que ellas consideran su problema de dinero.

Yo mismo tuve un montón de así llamados, problemas de dinero también; e hice tantos cursos sobre el dinero que me volvía bizco de sólo pensar en tomar una clase más sobre este tema. Al final ninguna de las clases de dinero que tome; cambio algo, alguna vez la manera en la que yo encaraba el dinero.

Yo seguía teniendo los mismos "problemas de dinero" luego de completar esos cursos. Mi relación con el dinero comenzó a cambiar a medida que Access se desarrollaba y yo descubrí Puntos de Vista frescos que se podían usar para crear una relación diferente con el dinero. En este libro; Dain y yo, ofrecemos estos Puntos de Vista y las filosofías detrás de ellos, así como las herramientas y técnicas que tú puedes usar para manejar, cualquiera que sea tu situación con el dinero.

Gary Douglas

Santa Bárbara

1

Dinero, Dinero, Dinero

¿TIENES UN TEMA DE DINERO?

Dain y yo tenemos un amigo que quería hacer muchísimo dinero.

> Él decía, "Yo tengo un tema de dinero."
> Yo le decía ~ "No, tú no lo tienes."
> Me decía ~ "Si, lo tengo."
> Yo le decía ~ "No, no lo tienes."
> Finalmente me pregunto ~ ¿Qué quieres decir?
> Le dije ~ "Tú no tienes un tema de dinero. Tú simplemente no estás dispuesto a recibir."
> Me dijo ~ Eso no es verdad.

Yo le dije ~ Si, es verdad. Y yo te voy a probar que el dinero no es tú tema.

Yo te doy un millón de dólares; libre de impuestos, si tú vuelves a donde estabas antes de comenzar a hacer Access y te quedas ahí. Y él dijo ~ De ninguna manera.

No se trata del dinero. Nunca lo es. Es sobre lo que tú, estás dispuesto a recibir. Si tú, estás dispuesto a recibir la libertad de la vida, entonces el dinero no tiene valor para ti. Muchas personas piensan que el dinero es una solución, pero no lo es.

El Dinero Nunca es la Solución

El dinero *nunca* es la solución, porque el dinero *nunca* es el problema. Si tratas de usar el dinero como una solución, tú únicamente crearás un problema para resolverlo con el dinero que tienes, o con el dinero que no tienes.

¿El Dinero Va a Resolver Tú Problema?

Piensa en esto por un momento. ¿Será que el dinero va a resolver tú problema? O… ¿Lo vas a hacer tú? ~ ¡Tú lo harás! ¿Cómo lo harás? Resuelves lo que al parecer es un problema de dinero al reclamar y poseer la verdad de ti mismo. ¿A qué me refiero con esto?

Hace muchos años, yo trabajaba en Bienes Raíces. Ganaba más de 100.000.00 $USD al año, y mi esposa ganaba más de 100.000.00 $USD al año. Lo estábamos haciendo bien. Estábamos en la elite. Éramos geniales. Estábamos rodeados de gente rica. Nos invitaban a fiestas y eventos en casas de la parte rica de la ciudad. Nos codeábamos con la elite de la sociedad.

Era fantástico.

Luego mi negocio se fue a pique. Mis ingresos pasaron de ser, de 100.000.00 $USD al año, a 4.000.00 $USD. Por supuesto, no ayudo mucho el que tuviéramos que cubrir un crédito mensual de 5.000.00 $USD por mes, ni que los pagos del auto fueran los de un auto de la categoría de 1.500.00 $USD al mes, y que nuestros hijos estuvieran en una escuela privada, que costaba 15.000.00 $USD al año.

Llenamos todas las aplicaciones de bancarrota que el género humano haya conocido, a medida que pasábamos por el proceso de perderlo todo.

Todos nuestros amigos, de la parte rica de la ciudad, dejaron de socializar con nosotros.

¿Extraño? No, porque adivina... ~ ¿Cuál es el prejuicio número uno, y más difícil de superar en el mundo? La pobreza. Si tienes muchísimo dinero, no importa el color, raza, credo o religión que tengas o practiques, ni cuan raro tú seas. Tú simplemente ~ Estas Bien.

Yo les digo a las personas, que sean todo lo raras que en verdad son. Simplemente tienes que ser rico; de tal manera que te vean como excéntrico, y no como loco.

Llegamos al punto en el que no teníamos dinero. Nuestros hijos tuvieron que dejar el colegio privado. Perdimos nuestros autos, perdimos nuestra casa, perdimos todo lo que nos pertenecía. Yo tuve que ir a trabajar para otras compañías, y lo odie. Nada estaba funcionando para mí, hasta que finalmente reconocí que la única elección que yo tenía, era la de hacer esta cosa loca, rara, y descabellada que llamamos Access. Y, una vez que comencé a ir en esta dirección, todo comenzó a darse la vuelta. ¿No es eso interesante?

Cuando no estás dispuesto a reclamar, poseer y Ser, todo lo que Tú Eres, desde el escandaloso y maravilloso Ser que Tú Eres – no importa lo mucho que tú te resistas y reacciones a eso; no importa lo mucho que tú te quieras alejar de eso –llegarás a la bancarrota en todos los aspectos, hasta no tener otra elección.

¿Estás dispuesto a dejar el Punto de Vista de *no-elección* y comenzar a reconocer que, la manera para crear todo lo que tú quieres, es ser tan loco, salvaje y raro como en verdad Eres? Deja de pretender que eres débil, limitado y no interesante.

Las personas piensan – *Si fuera rico y tuviera el dinero que yo quiero, yo dejaría de hacer lo que estoy haciendo y viviría una vida diferente.* Pero no funciona así.

Hay estudios que han demostrado que las personas que ganan la lotería, en el transcurso de los siguientes dos años, ellos vuelven a estar exactamente en la misma condición financiera en la que estaban antes de ganarla. Aunque a un nivel más elevado, ellos tienen el mismo nivel de deuda, tienen el mismo nivel de limitaciones, y tienen el mismo desorden financiero que ellos tenían antes de ganar la lotería. El dinero, por lo tanto, nunca es la solución.

Pero si tú haces lo que es verdad para ti, entonces el ganar la lotería, no importará. De hecho, si tú ganaras la lotería mañana, eso, simplemente te daría la oportunidad de crear más de las maravillosas cosas, que tú ya sabes que puedes crear.

El Recibir es el Problema y Tú, Eres la Solución

El verdadero "problema de dinero" es que tú, **no estás dispuesto a recibirte a ti mismo en *tú* vida.** Lo más grande que *tú*, no estás dispuesto a recibir, es lo increíblemente grandioso que *tú* en verdad Eres. El dinero no es el problema. El dinero no es la solución.

El Recibir, él es problema y Tú eres la solución. Cuando tú comienzas, a recibir la grandiosidad de quien, en verdad, Eres; todo en tu vida comienza a cambiar – incluido tu dinero.

Si tú estás dispuesto a recibir la grandiosidad de ti, y a permitir que el mundo vea la grandiosidad de ti, entonces, el mundo te dará a ti, lo que en verdad mereces.

La disponibilidad de percibirte y recibirte a ti; de manera diferente, es el inicio para crear lo que tú en verdad deseas en tu vida. Ese es el espacio desde el que tú, debes comenzar.

Entonces, ¿Qué Tomaría Para Que Yo, Me Muestre en Mi Vida?

A estas alturas, debes estar frustrado cuando te dicen que eres grandioso y maravilloso. Ok! Muy bien. Tú sabes eso, y sin embargo nunca has sido capaz de lograr lo que tú deseas. Es más, debes estar molesto y preguntándote – *Entonces, ¿Qué es lo que tomaría para que Yo, me muestre en mi vida?*

Esta es la pregunta que tú te tienes que hacer; porque el universo, te dará una respuesta, si tú estás dispuesto a hacer la pregunta y escuchar su respuesta.

Por favor sigue leyendo. A lo largo de todo este libro hay herramientas, técnicas e información que tú podrás usar, y que te ayudarán a mostrarte en tu vida. Esperamos que las uses para comenzar a crear la vida que tú quieres tener.

¿QUIERES DINERO?

El estado natural de las cosas aquí, en el planeta tierra, contrariamente a cualquier cosa que se te haya enseñado, es un estado de abundancia. Si tú miras a tu alrededor, cuando estas en la naturaleza, veras que cuando los humanos no están haciendo lo mejor que pueden para destruir las cosas; no hay lugar en el que la vida no este prosperando y sea abundante. No hay un lugar en el que no abunden las plantas, animales, aves, y vida de insectos. Incluso en los paisajes más áridos, hay gran cantidad de vida que se da. Si dejamos de usar un camino, incluso si es una vía asfaltada, en un corto periodo de tiempo; aparecerán grietas en ella, la hierba comenzara a crecer, y muy pronto el camino estará cubierto y desaparecerá. Este es un universo tremendamente abundante; y es, únicamente cuando los humanos se la arreglan para poner cemento, que dejamos de experimentar la abundancia de la naturaleza. Solo por donde los humanos pasan, existe la aridez y la pobreza.

La pobreza de consciencia es lo que nos impide a nosotros, percibir y experimentar el continuo estado natural de abundancia. La pobreza de consciencia no es una reflexión de ~ Cómo ~ son las cosas en realidad: *es un estado de la mente que nosotros creamos*. Es el espacio desde el cual funcionamos cuando nos decimos a nosotros mismos ~ *Yo no tengo suficiente. Yo nunca tengo suficiente. No importa lo que pase, yo nunca tendré suficiente.* Y hay un millón de variaciones sobre el tema. *Yo sólo tengo lo suficiente para sobrevivir. No necesito más que esta cantidad de dinero para lograrlo.*

Ese, es el Punto de Vista de que, la escases es más real que la abundancia; es la idea de que es más noble ser un pobre condenado, que ser abundante. Algunas personas incluso piensan que es moralmente superior ser pobre.

Ellos tienen el orgullo de pobreza. Dain cuanta como la gente en su familia solía decir ~ "Al menos tenemos una gran familia y somos felices. ~ "Esas personas con dinero no son felices."

Él dice que miraba a su alrededor y se decía a si mismo ~ ¡Pueden ellos ser más infelices que ustedes! ¡No lo creo!

A menudo, las personas con consciencia de pobreza se enorgullecen de estar sumidos en la pobreza. O creen que sólo se pueden sentir a gusto con personas que están en su mismo nivel socio-económico. Ellos, sólo se sentirán cómodos alrededor de personas tan pobres como ellos lo son; ~ *Yo no estaría a gusto con ricos, porque los ricos son diferentes, ¡ya sabes!* ¡Ok, bueno! ~ ¡Mira la categoría en la que acabas de ponerte a ti mismo!

La Consciencia de Pobreza no es un estado de mente que sólo las personas "pobres" tienen. Los ricos también pueden tenerla. Recientemente, fui a la fiesta de un multimillonario, y parecía que todo el mundo estaba tratando de ser el mejor en menospreciar a sus jardineros y empleados. Eso es lo que ellos piensan que significa ser rico: tener que menospreciar a sus empleados. ~ *¡Oh, es tan difícil conseguir buenos empleados!*

¡No, no es así! Es fácil conseguir buenos empleados, si tú tratas bien a las personas...

A pesar de que tienen muchísimo dinero, no están dispuestos a recibir la grandeza de otros. Algunos piensan que tienen que controlar a sus empleados y que tienen que pagarles lo menos posible.

La Consciencia de pobreza no se trata de la cantidad de dinero que tienes, *sino de la forma en que te tratas a ti mismo y a los demás, y de la abundancia que estás dispuesto a ver en el mundo.*

La palabra *quiero* es un componente clave de la Consciencia de Pobreza. ¿Sabes lo que la palabra - quiero - significa? Significa *me falta*[1]. Cada vez que dices - *Yo quiero* - estás diciendo - me falta. Si dices - *Yo quiero más dinero* - este, comenzará a faltarte más y más todo el tiempo. Si comienzas a prestar atención a lo que piensas y a lo que dices, verás exactamente cómo estas creando la abundancia o la escases, de abundancia - que se está mostrando en tú vida.

Busca la palabra - Quiero - en el diccionario. Es posible que tengas que buscarla en un diccionario antiguo. Un diccionario que se haya publicado antes del año 1946 tendrá definiciones correctas de las palabras en el idioma Inglés. Después de 1946, comenzaron a cambiar las definiciones para reflejar el uso coloquial. Si te fijas en la palabra - *Quiero* - en un diccionario publicado antes de 1946, verás que hay varias definiciones en las que esa palabra significa - *Falta o Escases,* y una sola en la que significa *Deseo. El Desear, es buscar algo que está disponible en el futuro.* Así que, incluso y aun con esa definición, estás en problemas.

Escucha a las personas que en verdad son abundantes; la palabra - *Quiero* - no está en su vocabulario. Ellos no conocen esa palabra. Ellos no tienen la idea de que el - *Querer* - sea parte de sus vidas. Todo se trata sobre - tenerlo, obtenerlo, conseguir eso, y permitírselo.

Hay un viejo proverbio que dice - *No Desperdicies, No Quieras. No Desperdicies, No te falte.* Si reconoces que la palabra - *Quiero* - significa falta (escases o ausencia), y te escuchas a ti mismo, verás que la estás usando todo el tiempo.

Pregúntate: ¿Qué tendría que pasar para que la palabra «querer» salga de mi vocabulario? En lugar de crear desde el - *Quiero Dinero*

---

1. La palabra - Quiero - en Inglés Want es definida como Lack en Inglés, que en Español se puede traducir como Falta, Escases, Ausencia.

~ permítete crear a partir del ~ *No Quiero Dinero* ~ porque cada vez que dices ~ *Yo quiero más dinero* ~ lo que en realidad estás diciendo es ~ *Yo tengo más escases de dinero* ~ y eso es exactamente lo que se muestra en tú vida.

Intenta decir ~ Yo no quiero dinero ~ diez veces…
Yo no quiero dinero.
Yo no quiero dinero.
Yo no quiero dinero.
Yo no quiero dinero.
Yo no quiero dinero.
Yo no quiero dinero.
Yo no quiero dinero.
Yo no quiero dinero.
Yo no quiero dinero.
Yo no quiero dinero.

¿Qué paso? ¿El repetir ~ *Yo no quiero dinero* ~ te hizo sentir más ligero o más pesado? Lo *Ligero* se refiere a una sensación de expansión y posibilidad, y a una más grandiosa sensación de espacio. (Puede incluso que hayas sonreído o te hayas reído muy fuerte). Lo *Pesado,* se refiere a un sentimiento de contracción, de cosas opresivas y de menos posibilidad.

Si eres como la mayoría de las personas, el decir ~ *Yo no quiero dinero* ~ te hizo sentir más ligero. ¿Por qué pasa eso? Es, porque la verdad siempre te hace sentir más ligero. Una mentira te hace sentir más pesado. La verdad; para ti, es que no te falta dinero, y el decirlo así, muestra tu disposición a atraerlo a ti.

Puedes crear el recibir en tu vida, diciendo eso, diez veces cada mañana.

Cuando las personas que te rodean digan ~ *Quiero dinero* ~ tu puedes sonreír y decir - sabiendo lo que haces ~ *¡Yo no quiero dinero!*

¿TE PREOCUPAS POR EL DINERO?

¿Te preocupas alguna vez por no tener suficiente dinero? ¿Cuándo fue la última vez que te preocupaste por eso? Conéctate con esa sensación. ¿La tienes? Ok! Haz esa sensación infinita. Hazla tan grande como el universo. Haz esa sensación más grande que el universo. No eterno, sino infinito. Puedes imaginarte metiendo una válvula de inflar en un globo de aire gigante, justo en el centro de tu preocupación, y luego soplar de tal manera que sea más grande que el universo. Aunque el hacer que algo sea más grande que el universo, no es en realidad, algo sobre lo que tú tengas que pensar, para que suceda. Es sólo una toma de consciencia, que por lo general sucede el mismo instante que tú pides que ocurra.

¿Qué sucede con tu preocupación por el dinero; cuando la haces infinita? ¿Se llena más y se hace más sustancial? ¿Tiene un mayor sentido de realidad? ¿O se desvanecen y desaparece? Si desaparece, que es lo que nosotros sospechamos que va a suceder... entonces es una *mentira*.

La preocupación puede ser algo que tú creas como cierto, pero en realidad ¡no lo es! Tú, te has comprado algo que no es verdad.

Ahora piensa en alguien que te importa o preocupa. Haz ese sentimiento infinito, más grande que el universo. ¿Se convierte en más substancial o en menos substancial? ¿Más substancial?

¿No es interesante? Cuando piensas en lo mucho que te importa alguien, y lo haces infinito, más grande que el universo, ves que es incluso más grande de lo que estás dispuesto a admitírtelo a ti mismo. Si estás dispuesto a admitir lo mucho que te preocupas por otra persona; y en verdad, estuvieras dispuesto a cuidar así, de ti mismo, ¿cuánto crees tú, que estarías dispuesto a recibir?

Cuando tomas la preocupación o cuidado que tienes por alguien, y lo haces infinito, se llena más y se hace más presente. Ocupa más espacio de lo que, el enojo lo hacía. Te das cuenta, de que tú tienes más cariño de lo que tú reconoces. Tú podrías decir ~ "Sí, sí, a mí me importa" ~ pero si luego lo haces infinito y se llena, y se hace más substancial, puedes ver en realidad cuanto te importa. Es como si tuviéramos miedo de tener mucho cariño o cuidado.

Piensa en Tener Muchísimo Dinero

Ahora, piensa en tener muchísimo dinero. Conéctate con la sensación de tener muchísimo dinero. Hazlo infinito, más grande que el universo. ¿Se hace más substancial o menos? ¿Más substancial? Y cuando piensas en no tener dinero, cuando tú dices ~ ¡Oh no! Estoy quebrada, No puedo hacer esto ~ si haces ese sentimiento, o esa preocupación, más grandes que el universo, ¿qué sucede con eso?

Si Creas en Base a Una Mentira, ¿Podrás Tú Crear Una Verdad a Partir de Eso?

¿No es esto interesante? Tendemos a comprarnos mentiras como ~ *Yo no tengo nada de dinero* ~ y luego tratamos de crear nuestras vidas, en base a esas mentiras. Si intentas crear en base a una mentira, ¿podrás crear una verdad a partir de eso? ¡De ninguna manera! Si te mientes a ti mismo; o te compras Puntos de Vista falsos, tu creas limitaciones que no te permiten expandir hacia lo que es posible con el dinero.

A veces, Dain, cuenta historias sobre algunos miembros de su familia, que pensaban que eran afortunados si tenían suficiente dinero para poner un plato de comida en la mesa. Sus abuelos, habían crecido durante la depresión y hubo momentos en los que no tenían comida. Su Punto de Vista era el de qué; eran exitosos, si tenían suficiente dinero para comprar comida. Dain se compró ese Punto de Vista como una verdad, y se aferró al mismo hasta que comenzó con Access. Él se compró la idea de que tener dinero suficiente para tener comida en la mesa, era una medida de éxito. Una vez que empezó Access, se dio cuenta y dijo ~ "¡Espera un minuto! ¡Eso no es cierto!"

Poco después de que el comenzó a hacer Access; y estaba viendo algunas diferentes posibilidades en su vida, fuimos juntos en coche hasta San Francisco a una Clase de Access. Íbamos a estar allí durante tres días, y Dain llevo diez sándwiches de mantequilla de maní con mermelada, tres libras de frutos secos mezclados y tres cajas de barras de granola. Como no tenía dinero, pensó que esa sería la comida que comería mientras estuviera allí.

En cierto momento; durante el viaje, me metí una gran goma de mascar roja en mi boca, la mastique durante unos diez minutos y la escupí. Tomé otra; la mastiqué unos diez minutos, la escupí y me metí otra. La mastiqué durante veinte minutos y tome otra. Dain, no decía nada, pero, se estaba volviendo loco cada vez que yo me ponía una nueva goma de mascar en la boca.

Finalmente me preguntó ~ "¿Por qué haces eso?"
Le dije ~ "¿Hacer qué?"
Dijo ~ "Meterte una goma de mascar después de otra, como lo estás haciendo. "
Le dije ~ "¡Porque sólo me gusta el sabor al principio! Después de eso es aburrido."

Dain viene de una familia en la que tenían que masticar la goma de mascar durante un día y medio. Él nunca considero la posibilidad de que podías hacer algo tan extravagante con un paquete de gomas de mascar de un dólar. Él nunca considero un diferente estándar de riqueza para él. Eso fragmentó todo su paradigma sobre no tener suficiente. Su reacción fue: "¡Espera un minuto! ¿Se puede hacer eso?"

La mayoría de nosotros nos compramos mentiras y limitaciones como estas a medida que vamos creciendo.
- *Esto es lo que el éxito es, o*
- *Esto es lo que yo puedo (o no puedo) tener.*

En el caso de Dain la mentira fue - *La abundancia es, ser capaz de alimentarte a ti mismo.* Ese era el Punto de Vista de su familia, y ese es el Punto de Vista que él se compró. ¿Es eso lo que es la abundancia? - No, claro que no. Cuando el vio que él estaba tratando de crear su vida financiera en base a una mentira, nuevas posibilidades comenzaron a aparecer.

En lugar de volverte loco por el dinero - que es algo, en lo que todos por cierto, somos muy buenos... En lugar de preocuparte por el dinero, o de vivir en un estado de cercana pobreza, comienza a darte cuenta de que tus preocupaciones, ansiedades y creencias sobre el dinero - **no son reales**. Y cuando te des cuenta de que - **no son reales**; no te las compraras, y no crearas tu vida basándote en lo que **no** es real o verdadero.

Hazlo Más Grande Que El Universo

Usa este ejercicio para llegar a la **verdad** de cualquier tema. Cuando haces las cosas más grandes que el universo, lo que es cierto, se llena más y es más sustancial - se tiene una sensación más real, abarca más espacio. Y lo que es mentira se disipa. Desaparece. Mediante el uso de esta simple herramienta, cambia, lo que ocurre con el dinero en tu vida—y crea a partir de lo que *es verdad* para ti.

YO, NO PUEDO PAGARLO...

Alguna vez te dijiste a ti mismo ~ ¡*Yo, No Puedo Pagar Esto!*

Hace años, yo estaba trabajando en una tienda de antigüedades reorganizando los muebles. Me contrataron porque, cada vez que arreglaba las cosas, algo que podía haber estado en stock durante algo más de dos años, se vendía. Me llamaban para reorganizarlo todo más o menos cada dos semanas.

Yo estaba ganando 37.50 $US por hora, lo que era muy buen dinero en ese momento.

Yo hacía eso, aparte de todo lo que podía, para mantener a mis hijos y mi esposa. Los dueños de esa tienda estaban tan contentos con lo que yo estaba haciendo que me dijeron ~ "¿Sabes qué? Cualquier cosa que tú te quieras comprar de la tienda; nosotros te la vamos a dar a ti, a precio de costo, lo puedes reservar, y lo puedes recoger una vez que termines de pagarlo. Simplemente sigue trabajando para nosotros".

Esta no era una tienda de antigüedades barata. Este era un lugar que tenía juegos de dormitorio en 20.000,00 $USD. Tenían anillos de diamantes que valían 35.000,00 $USD. Yo veía las cosas y decía ~ "¿Quién puede pagar estas cosas?" Después de que me dijeron eso, miré alrededor de la tienda, y de repente me di cuenta de que yo podía tener cualquier cosa que había ahí.

Es Lo Que Pensamos Que - No Podemos Tener - Lo Que Se Convierte En Valioso

Una vez que reconocí que yo podía pagar cualquier cosa que yo quisiera; podría tal vez tomarme un tiempo el llevármelo a mi casa, pero yo podía darme el lujo de tener cualquier cosa que había ahí, me di cuenta de que nada de eso me importaba. ¡Ya no me importo más!

Es, lo que pensamos que no *podemos pagar* o lo que pensamos que *no podemos tener* lo que se convierte en valioso. Se convierte en valioso; no porque tenga un verdadero valor, sino porque - *no podemos tenerlo.*

Hacemos de la escasez algo significante. Así que, cada vez que tú dices - Yo no lo puedo pagar - lo que dices es que no eres digno de eso.

No puedo pagar eso, significa - no puedo tenerlo. ¿Cuántas veces has decidido que tú no puedes permitirte alguna cosa y te conformaste con algo que era menos de lo que deseabas tener? Tú puedes pagar cualquier cosa. Casi cualquier tienda en el mundo reservará cosas para ti.

Dain y yo fuimos recientemente a una casa de empeños. Tenían un anuncio que decía - "Resérvelo Ahora". La idea era esa, que tú podías entrar ahí, donde vendían cosas hasta de 20.000,00 $USD y te permitían reservarlo. Si hacías los pagos a tiempo, tú podías llevarte algo de allí. Pero la pregunta era ¿ lo quieres, realmente?

¿Qué Es Lo Que Realmente Te Gustaría Tener?

Practica con esto por ti solo. Ve a una tienda y camina alrededor de ella diciendo - *Ok! Yo puedo tener cualquier cosa que hay aquí, que en verdad, yo desee. ¿Qué es lo que realmente me gustaría tener?* Miraras las cosas y dirás - *No. - No. - Eso es lindo. - Eso es bonito.* Y saldrás diciendo, - *¿Sabes qué? No hay nada ahí adentro que en verdad yo desearía tener.*

Yo Voy a Tener Esto en Mi Vida

Si en verdad encuentras algo que te gustaría tener, dices - *Yo voy a tener esto en mi vida* - y te vas sin mirar la etiqueta del precio. ¿Porque no te fijas en la etiqueta con el precio? Porque si lo haces, crearás una limitación sobre lo que va a costar y el cómo - **no** vas a poder pagarlo.

Si **no** miras el precio y simplemente dices - *Yo voy a tener esto en mi vida* - entonces tu podrás crear la oportunidad para que el universo te lo suelte en el regazo, de una forma en la que tú nunca te imaginaste, y a un precio que tú estés dispuesto a pagar.

Recientemente mi hija me dijo - "Yo quisiera tener una billetera Gucci, Papá. Cuestan 250 $US."
Yo le dije, "Ok! Eso está bien. Veremos qué es lo que puede pasar."

Tres semanas después yo me pare en una venta de garaje sin ninguna razón aparente, y ahí, había una billetera Gucci a la venta. Costaba tres dólares. Yo asumí que era una imitación, y la lleve a casa y resulto que era original.

SI EL DINERO NO FUERA EL PROBLEMA ~ ¿QUÉ ELEGIRIAS?

Cuando vas a comprar algo, tu puedes quitarte esa sensación de *necesidad* y esa sensación de ~ *no hay dinero* ~ haciendo esta pregunta ~ *¿Si el dinero no fuera el problema, qué elegiría?* ~ La mayoría de nosotros hacemos elecciones basándonos en lo que nosotros pensamos que necesitamos — y no podemos tener.

Cuando tú te preguntas ~ Y *¿Si el dinero no fuera el problema, qué elegiría?* ~ Eso saca al dinero de la base de tu elección.

Dain fue a comprar una impresora. Él estaba viendo una variedad de modelos, y yo le pregunte ~ ¿Si el dinero no fuera el problema, cual elegirías?

Su primer pensamiento fue ~ "Oh! ¡Yo elegiría la más grande!" Esa costaba 500.00 $USD, y estaba un poco fuera de su alcance, pero eso fue lo primero que él pensó, en relación a ~ Si el dinero no fuera el problema. Sin embargo, luego, el comenzó a mirar a su alrededor, y encontró otra impresora, que hacía casi todo lo que lo que la otra que costaba 500.00 $USD hacía. Esta costaba 150.00 $USD. Cuando él soltó eso de ~ *Yo necesito esto, pero no lo puedo tener* ~ él se dio cuenta de que él podía tener cualquier cosa que el deseará por un mejor precio.

Como Dain; muchos de nosotros asumimos que si el dinero no fuera el problema, nosotros nos compraríamos lo mejor, y lo más caro. Cuando quitas al dinero como "el tema", tú puedes ver que ~ *Oh! En realidad yo no quiero la más grande (o más cara).*

Algunas veces lo más caro no es necesariamente lo que tú necesitas. Por 150.00 $USD tú puedes comprar todo lo que necesitas en primer lugar.

En lugar de asumir que, si tú tuvieras lo así llamado *"mejor"*, tú harías más, tendrías más y crearías más; tú puedes usar la pregunta que te di, para tener la sensación de cuál es tu perspectiva personal. Esto te permitirá ver cuál es el verdadero valor de algo — para ti. Te saca del trance del Punto de Vista de ~ *no puedo tener esto porque...* ~ Si tu elección personal fuera tu único criterio para elegir, ¿qué elegirías? Tú tendrías lo mejor para ti, dadas las circunstancias en que tú estés comprando las cosas.

También habrán veces en las que preguntaras ~ *¿Si el dinero no fuera el problema, qué es lo que yo elegiría?* Y decidirás comprar lo más caro - de nuevo, no estarás haciendo del dinero tu criterio. Tú estarás haciendo una elección basada en lo que es mejor para ti.

¿ESTAS DISPUESTO A PAGAR IMPUESTOS?

Algunas personas se resisten a pagar sus impuestos. Ellos ya decidieron que no van a pagar impuestos nunca más, y que harán cualquier cosa para evitarlo. Pero esa es una decisión muy mala, porque cuando hacen eso, cortan el dinero que están dispuestos a recibir.

Para poder tener, tienes que estar dispuesto a recibir todo, incluso los impuestos. Si no estás dispuesto a pagar impuestos, entonces tú no estás dispuesto a tener el ingreso. Personalmente, me gustaría pagar más impuestos. Tú querrás ser capaz de pagar cantidades extravagantes de impuestos, porque eso significará que puedes recibir extravagantes sumas de dinero.

Trabajamos con un hombre que se unió a un grupo anti-impuestos; en el que tenían la posición de que era ilegal que la

Oficina de Impuestos[2] cobre impuestos. Su Punto de Vista era que la IRS, era una corporación privada a la que se le dio el sistema de cobro de impuestos y que eso no estaba previsto en la Constitución, así que era un grupo ilegal.

Después de que él nos dijo esto a nosotros, yo le dije ~ Genial. Déjame decirte algo sobre tus ingresos. ¡Desde que tú te uniste a este grupo, tus ingresos han disminuido a la mitad!
El tipo me dijo ~ Wuaw, ¿Cómo supiste eso?
Le dije ~ "Porque estas tratando de ocultarte del gobierno."

Cuando tú tratas de ocultarte, eso significa que no te permites a ti mismo recibir. Es imposible estar oculto y que al mismo, tiempo el montón de dinero que ganes crezca."

¿Hay alguna parte de tú vida que tú estés ocultando? Todo aquello que tú estés tratando de ocultar en relación a los impuestos o en referencia a cargos impositivos y a todo ese tipo de cosas. ~ ¿Estarías tú dispuesto a destruir y des-crear todas esas tus decisiones, y reclamar, y poseer el que tú puedes pagar cualquier maldito impuesto que tú elijas?

La mejor manera de defenderte, es siempre, la de ser rico.

DEUDA vs. CUENTAS POR PAGAR

Algunas veces, las personas me preguntan sobre las deudas, y como es que las deudas encajan en toda esta charla sobre el dinero. ¿Has notado alguna vez que la palabra deuda suena mucho a deudo o muerte[3]? ¿Sabías que la palabra amortizar - *mortage* (hipoteca en

---

2. IRS en USA, Oficina de Impuestos.

3. Gary hace aquí, un juego de palabras y relaciona la palabra - debt (deuda en inglés)

inglés), viene de la palabra *mort,* lo que significa *muerte,* y que originalmente significaba promesa de muerte o hasta la muerte con eso? En otras palabras - *Yo voy a trabajar por esta casa hasta que muera.*

Y esa es la forma en que la mayoría de las personas lo hacen.

Cuando tienes deudas que pagar, en lugar de pensar en ti como en un deudor — (y es que todos nosotros tuvimos alguna vida en la cual la prisión por deuda existió y fuimos a la cárcel por deber dinero) — piensa en lo que "debes" como - cuentas por pagar. Tú tienes cuentas por pagar, no deudas.

Si funcionas desde el Punto de Vista de que tienes *cuentas por pagar,* en lugar de que tienes deudas; tú, comenzarás a desbloquear todo eso. Cada vez que dices - Deuda, se disparan todas las remembranzas de vidas pasadas en las que fuiste un prisionero por deudas. Librémonos de las deudas.

CREDITO

Si eres sujeto pasible a crédito, entonces puedes estar en deuda. ¿No es eso grandioso? ¿Has trabajado para poder ser alguien pasible a crédito, de tal manera que puedas tener una deuda más grande? Esta es la forma en que funciona. Si tú no eres pasible de crédito no eres apto para tener deuda.

Sujeto o pasible a crédito significa que tú puedes deber más dinero. ¿No es eso genial?

---

con la palabra death, muerte en inglés. En algunos países de habla hispana se usa – deudo – para referirse a los difuntos.

Te sugerimos que cambies tú perspectiva sobre el crédito. No trates de crear ~ el ser sujeto de crédito o pasible a crédito ~. Busca la abundancia de tú solvencia en efectivo ~ Pregunta: ¿Cómo incremento el flujo de mi efectivo? ¿Cuáles son las posibilidades infinitas *de que un montón increíble de efectivo llegue a mi vida?*

Tengo personas que me dicen ~
"Oh! Tengo tanta deuda"
Yo les digo ~ Ok! Así que tienes muchas deudas. ¿Cuánto más tendrías que ganar por mes con el fin de cancelarla?
Dicen ~ No tengo idea. Los pagos mensuales de mi tarjeta de crédito son de 500.00 $USD.
Les digo ~ "Muy bien. Eso significa que en treinta años vas a terminar de pagarle a ese mamón."

Si pagas la menor cantidad de dinero de lo que debes a tú tarjeta de crédito; ¿te das cuenta de que, la cena por la que acabas de pagar 40,00 $USD con tú tarjeta, te va a terminar costando 200.00 $USD? Vaya, ¿Me pregunto porque a los bancos les gusta que tú cargues las cosas a la tarjeta, correcto? ¡Supéralo! Lo mejor es hacer dinero. Eso es lo bueno.

Estas más interesado, en ~ ¡Que genial es tener tarjetas de crédito! ~ Que en ~ ¡Que genial es hacer dinero!

A veces yo veo personas que abren sus billeteras y aparecen una gran cantidad de tarjetas de crédito; yo les pregunto ~ ¿Para que necesitas eso?
Me dicen ~ "Bueno, tengo muchos créditos. Mira todas las cosas que puedo comprar"
Les digo ~ No puedes comprar ni mierda. Tú no tienes nada de dinero."
Y ellos dicen ~ "Si, pero puedo comprar muchas cosas."
Yo les digo ~ "Si, pero no tienes nada de dinero. ¿Eres estúpido y loco?

Conozco a alguien que tomo su billetera, saco todas sus tarjetas de crédito y las guardo para no estar cargando su deuda con él. Excelente idea. Y luego me dijo que cuando tuviera todas sus tarjetas canceladas, él podría lentamente, pero con seguridad, ponerlas de nuevo en su billetera ~ Si, si es que es lo suficientemente tonto para hacer eso.

Si puedes comenzar a vivir con el efectivo y con el dinero que fluye a tu vida, tú comenzarás a expandirlo. Cuando pensamos ~ *¡Oh, Dios Mío! Me quede sin dinero* ~ ese es únicamente un Punto de Vista. ~ *Me quede sin dinero. Tengo que usar mi tarjeta de crédito.* Ese Punto de Vista, ya por sí solo suficiente, para bloquearte, porque es una mentira.

Despídete de las tarjetas de crédito. Encuentra una manera diferente. Crea dinero. No crees crédito y la deuda que le sigue. Las herramientas que siguen te ayudarán a hacer eso.

DALE EL DIEZMO A TÚ IGLESIA

El diezmo es una décima parte del ingreso de uno mismo con el que se contribuye a la caridad o para el sostén de nuestra propia iglesia. ¿Crees en el diezmo a tú iglesia? ¿Y si se tratara de dar el diezmo a la Iglesia que Eres Tú? ¿Estarías tú dispuesto a hacer eso?

Esto es lo que haces: Tomas el 10 por ciento de todo lo que llega a tu vida y lo pones a un lado. Lo pones en tu cuenta de ahorros. Lo pones en el Banco. Lo pones debajo del colchón. No importa donde lo pongas, simplemente sepáralo. No lo gastes.

Si continuamente vas poniendo el 10 por ciento a un lado, tú le demuestras al universo que tú quieres dinero. Cuando das el diezmo a TÚ Iglesia, el universo responde ~ *Oh! Tú quieres más dinero! Ok! Te daremos dinero.* Puede que estés pensando ~ Por

Dios, si ahora apenas llego a fin de mes. ¿Cómo voy a poner a un lado el 10 por ciento? La respuesta es: **¡Haciéndolo!** El universo honra cualquier cosa que tú requieras de él.

Si tú te honras a ti mismo al darte el diezmo del 10 por ciento de todo lo que te llega, el universo dirá - *Oh, ¡Tú quieres honrarte con el Diez por ciento! Ok! Aquí tienes más para que te honres a ti mismo.*

¿Pagas tus facturas antes de darte el diezmo a ti mismo? Cuando pagas tus deudas primero, ¿te das cuenta cómo crecen las facturas? ¿Porque pasa eso? Porque tú estás honrando primero a tus facturas y el universo dice - *Oh, ¿A ti te gustan las facturas? Muy bien, Te daremos más facturas.*

Esto no significa que no pagues tus facturas. Lo que haces, es honrarte a ti mismo primero, y si tienes que estirar un poco las cosas y jugar a ponerte al día más tarde, no hay problema. Si comienzas a honrarte primero a ti mismo, con el diezmo del 10 por ciento; a la Iglesia que - Eres Tú - en los siguientes seis meses o hasta en un año, tu situación financiera general se dará la vuelta. Llegarás a los objetivo financieros que hiciste hace mil millones de años, cuando dijiste - *Cuando tenga esta cantidad de dinero, yo voy a ser rico. Cuando llegué a esta cantidad de dinero, yo seré muy rico.* Estas son decisiones que ni siquiera recuerdas haber hecho, pero que cuando llegas a ellas, experimentas una sensación de paz dentro de ti mismo y la necesidad desesperada de tener dinero se va.

Sólo el 10 Por Ciento

Un amigo mío que era dueño de una tienda de antigüedades, pedía prestado 100.000,00 $USD, cada seis meses para ir a Europa a comprar antigüedades. El banco le cobraba diez puntos por adelantado para prestarle el dinero.

Eso significa que le cobraba, 10.000.00 $USD, para darle el préstamo del dinero. Así que el recibía 90.000,00 $USD, pero él tenía que pagar los 100.000,00 $USD. Y además le cobraban el 15 por ciento de interés sobre el dinero; si se tardaba un año en pagar la deuda, ¿cuánto dinero pagaba? ¿Cuál era la tasa de interés? El veinticinco por ciento. Le costaba 25.000,00 $USD el endeudarse de 100.000,00 $USD si no devolvía el dinero en los próximos seis meses.

Él trabajaba muy duro. Un día le dije ~ "Si pusieras el 10 por ciento a un lado, en seis meses o hasta en un año, tu situación financiera entera se daría la vuelta."

Comenzó a hacer eso y en los siguientes seis meses, había duplicado el tamaño de su tienda y se iba a Europa para comprar antigüedades con sus propios 100.000,00 $USD. Su negocio se duplicó, y el negocio de su esposa creció de 250.000,00 $USD al año a 1,5' $USD millones.

Unos dos años después, entré en su tienda, miré a mi alrededor, y le dije: "Has gastado tu 10 por ciento, ¿no?"

Me dijo ~"Oh, eres psíquico."

Le dije ~ "Sí, eso y el hecho de que puedo sentir la energía aquí. Tú estás desesperado por vender las cosas. Ya no se siente un lugar en el que todo es valioso. Es como si todo estuviera en rebaja. Has cambiado la energía de tu tienda y esperas tener éxito en base a ¿qué?"

Desde entonces ha estado cada vez más desesperado porque no volvió a poner su diezmo del 10 por ciento. ¿Será que me devuelve las llamadas? No. ¿Por qué? Él sabe que si volviera a poner el 10 por ciento, funcionaría de nuevo, pero no va a hacerlo. Su elección.

Lleva Efectivo

Si llevas dinero en el bolsillo y no lo gastas, eso te hará sentir rico. Lo que se mostrará en tu vida será cada vez más y más dinero, porque le estarás diciendo al universo que eres abundante. Piensa en una cantidad de dinero que tú, como rico, siempre llevarías contigo. Cualquiera que sea esa cantidad. Ya sea que sean – 500.00 $USD, 1,000.00 $USD, o 1,500.00 $USD - llévalos contigo en tu billetera, todo el tiempo. Esto no quiere decir que lleves una tarjeta Gold de Crédito.

Eso no tiene el mismo corte. Tienes que llevar dinero en efectivo en tu bolsillo, porque se trata de que reconozcas tú riqueza.

Puedes convertir tu dinero en monedas de oro si te gustan las monedas de oro. Puedes cambiarlo por diamantes, si quieres. Guárdalo en cierta forma de valor que se pueda transportar fácilmente. Yo no convertiría mi dinero en barcos cisternas llenos de petróleo si fuera tú. Esos pueden hundirse.

Cuando te decimos que pongas el 10 por ciento a un lado, no estamos hablando de que hagas inversiones o proyectos con este dinero. Queremos que tú seas como MacPato. ¿Te acuerdas de él? Él es el Tío Rico del Pato Donald. ¡Él amaba el dinero! Llenaba sus piscinas con monedas y billetes y se sumergía en ellas. ¿Quieres tú tener muchísimo dinero? Entonces estate dispuesto a desearlo en verdad. Ten muchísimo dinero siempre.

Lleva esa cantidad de dinero contigo. Puede ser parte de tu 10 por ciento, si así lo deseas. Mantenlo contigo en todo momento y no lo gastes. Cuando sabes que tienes 500.00 $USD, 1,000.00 $USD, o 1.500.00 $USD en tú bolsillo, tú dices ~ ¡Oye, estoy bien! Puedes caminar erguido. Sabes que puedes entrar en cualquier lugar y comprar cualquier cosa que haya ahí, pero no tienes necesidad de ello.

Necesidad vs. Avaricia

Cuando tienes la sensación de *necesidad*, eso te lleva siempre a un sentimiento de codicia, lo que significa que vas a tratar de aferrarte a lo que tienes como si nunca fuera a haber más. Cuando tienes una sensación tan buena, como la de una gran cantidad de dinero en el bolsillo y la posibilidad de que las cosas crezcan, todo tipo de cambios pueden ocurrir para ti, porque ya no estarás funcionando desde el Punto de Vista de que tienes una cantidad limitada. Comienzas a funcionar desde el Punto de Vista de ~ *Tengo dinero en mi bolsillo. Tengo miles de dólares en mi cajón en mi casa. Yo juego con el dinero. Lo tiro en la cama y me enrollo en el desnudo porque se siente muy bien.*

¿Alguna vez en realidad, te has fijado en el dinero? ¿Qué aspecto tiene? ¿Cuál es la imagen en un billete de cien dólares? Lo sabemos porque llevamos un montón de ellos. Son lindos. Así es, son lindos y los llevamos en nuestros bolsillos. Nos gustan los dólares. Son muy agradables. Si cambias tu forma de pensar y piensas que el dinero es agradable y te encanta el aspecto que tienen, tal vez los podrías recibir más fácilmente.

2

ALGUNAS HERRAMIENTAS GENIALES

DE LA TRANSPIRACIÓN A LA INSPIRACIÓN

En Access, no buscamos la vanguardia de las cosas. Buscamos el borde creativo, porque si estás creando constantemente tu vida, entonces la estarás expandiendo.

En esta sección ofrecemos algunas preguntas, técnicas y herramientas que te darán la oportunidad de ir de la transpiración a la inspiración en la creación de la vida que a ti te gustaría tener. Pero este es el trato: si quieres que tu vida cambie, tienes que usarlas.

Estas son las herramientas más sencillas y dinámicas que puedas imaginar, pero el 90 por ciento de las personas con las que las compartimos, nunca las usan. Tú también, puedes rehusarte. Si eres adicto a la inconsciencia en relación al dinero, no vas a hacer lo que se necesita para cambiar tu vida.

Podrás leer este libro y decir: "Me gaste todo este dinero en este libro sobre el dinero y nada ha cambiado. Que desperdicio."

Bueno, es será un desperdicio si no lo usas. Pero si estás determinado a hacer algunos cambios en tú vida y crear una realidad diferente en relación al dinero — y a todo lo demás — te invitamos a probar estas herramientas.

VIVE EN LA PREGUNTA

El universo es un lugar infinito y tiene infinitas respuestas. Cuando le haces una pregunta ilimitada, el universo te dará la respuesta. Pero lo que solemos hacer es hacer una pregunta limitada, como - *¿Cómo llego del punto A al punto B?* Y cuando hacemos eso, la mente se pone a trabajar, tratando de averiguarlo: *Haz esto, esto, esto y esto.*

Cuando tratas de dilucidar la manera en que vas a hacer que algo suceda, tú estás figurando la respuesta en vez de hacer una pregunta. No trates de figurarla. Te limitas a ti mismo. Tu mente es una cosa peligrosa. Sólo puede definir lo que ya sabes. No puede ser infinita e ilimitada. Siempre que tienes una respuesta, esa será la suma total de lo que se mostrará para ti. Sin embargo cuando vives en la pregunta, hay infinitas posibilidades disponibles. Prueba algunas de estas preguntas y fíjate en lo qué pasa.

Cuando vives en la pregunta, tú creas una invitación. Cuando preguntas ~ *¿Qué tendría que pasar para que_____ se muestre?* El universo te dará las oportunidades para que eso suceda.

Te quedas estancado en tu vida y piensas:
Es esto — o esto.
Yo puedo hacer esto_____.
Yo no puedo hacer esto_____.
Yo puedo ser esto _____
Yo no puedo ser esto _____.
La única manera que puedo lograr _____, es si Joe me presta 5.000,00 $USD.
Yo nunca podría permitirme una _____.
Simplemente no tengo el dinero para _____.

Estos son Puntos de Vista limitados. Adopta el Punto de Vista de la pregunta ilimitada

¿Qué tendría que pasar para que _____ se muestre?

Recientemente fui a sacar un poco de dinero de mi cuenta de ahorros porque al parecer no tenía suficiente dinero. Yo me dije ~ "¡Maldita sea! ¿Por qué no tengo suficiente dinero? ¡No entiendo esto! ¿Qué tendría que pasar para que más dinero se muestre? Es ridículo que yo no tenga suficiente dinero. ¿Qué es lo que va a tener que pasar?"

Al día siguiente, estaba viendo mi maletín, uno que no había usado durante unos tres meses, lo saque del armario, y vi que habían 1.600,00 $USD en efectivo que yo había guardado allí por alguna razón. Dos días después, Dain y yo fuimos a Florida y cuando llegamos allí, nuestra amiga Jill le entrego a Dain un sobre y le dijo: "Esto fue de la tarjetas de crédito."

Dain preguntó: "¿Qué es esto?"

Ella dijo: "Cheques que no fueron cobrados de una clase que tú y Gary dieron. "

Había 2.000 dólares en cheques en ese sobre.

El mismo día recibí una llamada de una señora cuya tarjeta de crédito no había sido cargada con los 1.800.00 $USD dólares por servicios, y un día más tarde, me encontré con un cheque por 500,00 $USD en un cajón donde yo los había puesto.

Eso sumaba los 6.000,00 $US dólares que había sacado de mi cuenta de ahorros. Dije: "Humm. Supongo que no estaba tan corto de dinero. Simplemente no los vi".

Lo gracioso es que, sigue ocurriendo. Una señora me llamo hoy y me dijo ~ Sabes, esa clase que tomé hace un par de meses. No la cargaron en mi cuenta. Te estoy enviando un cheque.

Le dije ~ ¡Bueno, Genial! ¿Cómo puede mejorar eso? Tienes que hacerle una pregunta al universo para que te dé una respuesta. ¡Tienes que preguntar! No es bueno decir, ~ Quiero más dinero. Eso sólo significa ~ *A mí me falta dinero* —y no hay una pregunta ahí.

Siempre usa una pregunta:

¿Que tendría que pasar para que _____ se muestre?

¿Qué Es lo Bueno de Esto Que Yo No Estoy Viendo?

Otra gran pregunta es, ~ ¿*Qué es lo Bueno de Esto, que Yo No Estoy Viendo (o Entendiendo)?* ¿Hay áreas en tu vida en las que piensas que sólo tienes la posibilidad de elegir entre ~ esto/o lo otro? ¿Piensas que tienes que elegir un lado u otro de la moneda, en lugar de tener la capacidad infinita de hacer cualquier cosa? Estás viéndote a ti mismo como un pequeño punto en el universo y preguntándote, *¿Qué está mal en mí?*

Cuando Dain y yo empezamos a trabajar juntos, él vivía conmigo y mi ex-esposa. Después de un tiempo, encontró un lugar para vivir por su cuenta, y yo lo ayude a trasladarse. Cuando estábamos dejando la última carga de sus cosas, la dueña del lugar apareció y se puso loca. Comenzó a decir cosas como: "No puedes vivir aquí. ¡Tienes que salir! Yo no estoy de acuerdo con esto. No puedes quedarte en este lugar."

Dain se marchito y preguntó: " ¿Qué hay de malo en mí que no puedo hacer que esto funcione?" Le dije: "Pregunta equivocada, amigo ~ ¿Qué es lo bueno de esto que no estoy viendo?"

Bueno, resultó ser que la dueña del lugar, vivía en la propiedad, hablaba sin parar y estaba completamente loca. En vez de vivir ahí, él consiguió un apartamento mucho mejor de dos dormitorios con vista a un parque, en una zona muy agradable de la ciudad, y no tuvo que alquilar una oficina porque podía trabajar en su casa.

Todo resultó mucho mejor de lo que él había planeado, porque cuando se vino abajo, él estuvo dispuesto a preguntar ~ ¿Qué es lo bueno de esto no estoy viendo (o entendiendo)?

Tú, como Ser, no harías nada malo - ¡simplemente no lo harías! Pero puede haber algo bueno sobre esa situación que no estás entendiendo. ¿Cómo descubres lo que eso es? Pregunta: *¿Qué es lo bueno de esto que no estoy viendo (o entendiendo)?* Sea lo que sea, la pregunta pide una toma de consciencia y una capacidad ilimitada para percibir y ver. Utiliza esta pregunta para desbloquear las posibilidades de un cambio en tu vida.

¿Cómo Puede Mejorar Más Aun Esto?

Aquí tienes una pregunta para usarla a diario. Cuando la usas en una mala situación, obtienes la claridad de cómo cambiar las cosas, y cuando la usas en una buena situación, todo tipo de cosas interesantes se pueden mostrar.

En Nueva York, una mujer salió de una clase de Access y se encontró una moneda de diez centavos en frente del ascensor. Ella dijo ~ Oh, ¿Cómo puede mejorar más aun esto? Y se la metió en el bolsillo. Bajó las escaleras, salió a la calle; vio un billete de diez dólares en el suelo, se lo metió en el bolsillo y preguntó: "¿Cómo puede mejorar más aun esto? Ella se estaba dirigiendo hacia el metro, pero, en lugar de eso, hizo un gesto a un taxi y en el llego hasta la entrada de su edificio. Cuando se bajaba del taxi, vio algo brillante en la cuneta. Se agachó y recogió un brazalete de diamantes. En ese punto, dijo ~ "No se puede poner mejor que esto", lo que fue un gran error. Cuando dices algo así, ahí se frena. De lo contrario, quién sabe, ya podría ser dueña del Empire State.

No puedo garantizar que vayas a convertir un centavo en diamantes, pero nunca se sabe lo que pueda suceder. Solo sigue preguntando, *¿Cómo puede mejorar más aun esto?*

PERCIBIR, SABER, SER Y RECIBIR

Quieres saber ~ ¿Qué es lo que va a hacer que tu trabajo, sea mejor? o ¿Cómo mejorar tú situación económica; o tú negocio, o tú relación? En cualquier área de tu vida que no esté funcionando para ti, hay algo que tú, no estás Percibiendo, Sabiendo, Siendo o Recibiendo.

¿Porque podemos decirte esto? Es porque sabemos que tú eres un Ser Infinito. Como Ser Infinito, tienes la infinita capacidad de Percibir, Saber, Ser y Recibir. Esto significa que, con el fin de crear tu vida como la limitación en la que se ha convertido, tienen que haber cosas que tú, no estás dispuesto a Percibir, Saber, Ser y Recibir.

Di lo siguiente treinta veces al día durante tres días:

Percibir, Saber, Ser y Recibir lo que me rehusó, no me atrevo, nunca debo y también debo Percibir, Saber, Ser y Recibir lo que me permita total claridad y facilidad en relación con/a _____.

O puedes utilizar una versión simplificada: *¿Qué tendría yo que percibir, saber, ser y recibir que me permitiría _____?*

Puedes llenar el espacio con cualquier cosa. Esta pregunta comenzará a desbloquear aquellos espacios en los que no te estás mostrando.

Si haces esto treinta veces al día; durante tres días, en algún momento, al final del tercer día, o durante el cuarto día, comenzarás a tener una forma inspirada de ver las cosas. De repente preguntarás ~ *¿Por qué no pensé en eso antes?* ~ No podías pensar en eso antes porque te rehusabas, o no te atrevías, o pensaste que nunca debías percibir o recibir algo, o porque pensaste que tenías que percibir o recibir algo con el fin de llegar hasta allí.

Esta simple pregunta te ayudará a desbloquear tus limitaciones. ~ *Percibir, Saber, Ser y Recibir lo que me rehusó, no me atrevo, nunca debo y también debo percibir, saber, ser y recibir lo que me permita total claridad y facilidad en relación con* _____. Hazlo treinta veces al día y esto comenzará a cambiar cualquier área en tu vida que no esté funcionando de la manera que te gustaría que funcione.

TIENES DIEZ MINUTOS PARA VIVIR EL RESTO DE TU VIDA

Tienes Diez Segundos para vivir el resto de tú vida. El mundo está lleno de leones, tigres, osos y serpientes venenosas. Y, te van a comer ahora. Tú tienes 10 segundos. ~ ¿Qué es lo qué vas a elegir?

Si tú haces todo, en tu vida, en Incrementos de Diez Segundos, encontrarás que no puedes tomar una decisión equivocada. Si tienes rabia durante Diez Segundos y luego la sueltas, no harás elecciones equivocadas. Si amas durante diez segundos; tú puedes amar a todos y a todo durante lo que eso dura, sin importar lo que sea. También puedes odiar a alguien durante diez segundos. Te puedes divorciar de tú esposo durante 10 segundos. Y puedes amarlo a él o a ella en los próximos Diez Segundos.

Si vives en Incrementos de Diez Segundos, crearas estando en el presente. La mayoría de las personas, en lugar de vivir en el momento; están siempre tratando de crear un plan y un sistema para el futuro, de manera tal, que este se muestre en la forma en la que ellos lo quieren. Pero sólo hay un espacio en el que podemos vivir, y ese es, en el aquí y en el ahora. Cualquier otra cosa te mata. No llegas a tener una vida. Y te pierdes tu propia vida.

Hay personas que me preguntan ~ ¿Cómo haces negocios en Incrementos de Diez Segundos? En Diez Segundos, tú puedes decidir si deseas hablar o no con esa persona. Tú puedes saber; ya sea si ella o el, están disponibles. ~ ¡Puedes saber!~ En Incrementos de Diez Segundos, te fuerzas a dejar de pensar y vas al Saber.

En ~ Incrementos de Diez Segundos ~ tú puedes comenzar a romper las condicionantes que te tienen imaginando cosas y planificado con antelación. Puedes aprender a elegir y a estar presente. No se puede juzgar en Diez Segundos, porque lo que juzgas está aquí ahora y lo siguientes Diez Segundo se fue. Nosotros prolongamos nuestra agonía en la vida al juzgarnos a nosotros mismos y al tratar de arreglar lo que juzgamos. Cómo sería si tan sólo dijeras: *Oh! Bueno... Yo hice eso en estos Diez Segundos, y ahora, ~ ¿Qué es lo que a mí me gustaría elegir?*

Cuando haces algo que tú piensas que está mal; ¿Cuánto te castigas a ti mismo, por eso? ¿Cuánto te obsesionas por eso? ¿Días? ¿Semanas? ¿Años? ~ Si vives en Incrementos de Diez Segundos, no puedes hacer eso. Por supuesto, no te puedes acordar de nada, tampoco. ~ Pero esas son las buenas noticias.

Si practicas el arte de elegir tú vida en Incrementos de Diez Segundo; comenzarás a crear elecciones y oportunidades para recibir dinero. La mayoría de nosotros creamos basados en obligaciones. Decimos ~ *Bueno, Yo tengo que hacer esto, y tengo que hacer esto, y tengo que hacer esto.* Pero ¿son esas las cosas que realmente queremos hacer? Usualmente no, pero seguimos eligiéndolas. ¿Porque? Porque pensamos que ¡tenemos que! Pensamos que estamos obligados a hacerlas y que si no, nadie nos va a pagar. Nos compramos la idea de que todos los demás son más importantes de lo que nosotros somos. Si tú tuvieras Diez Segundos para elegir el resto de tu vida, que elegirías.

¿Elegirías la pobreza? Es una elección, no es estúpida, ni loca. Cuando vives en Incrementos de Diez Segundos, tú puedes elegir de nuevo. No te quedas estancado en la pobreza.

- Tú tienes diez segundos, ~ ¿Qué vas a elegir?
- ¿Abundancia, Fortuna?
- Ok! esos Diez Segundos se acabaron.
- Tú tienes Diez Segundos para vivir el resto de tú vida...
- ¿Qué vas a elegir?
- ¿Risa, Gozo, Consciencia?

DESTRUYE Y DES-CREA TU VIDA

Una de las cosas que querrás hacer, es comenzar cada día como uno nuevo. Querrás crear tu vida todos los días. Eso significa que todas las mañanas, necesitas destruir y des-crear todo lo que fuiste hasta ayer. Si tienes un negocio, lo destruyes y des-creas cada mañana. Si destruyes y des-creas toda tú situación financiera todos los días, comenzarás a crear más dinero. *Crearás hoy.* Eso es parte del vivir en Incrementos de Diez Segundos. Cuando vives en el momento; no estarás tratando de demostrar que tu decisión pasada fue la correcta; estarás creando tú vida momento a momento todo el tiempo.

Tendemos a pensar ~ *Ok! Yo he creado este hermoso montón de mierda aquí, así que yo no la quiero des-crear. Simplemente, voy a ignorarla, seguir adelante y ahora voy a crear otra cosa.* La cosa es que, el montón de mierda sigue ahí y cada día que tú la ignoras, ella huele más y más fuerte, hasta que al final llega a ser insoportable y entonces, tú tienes que lidiar con ella.

Destruye y Des-Crea Tus Relaciones

Si estas en una relación y la destruyes y la des-creas cada día, la estarás creando cada día como una nueva. Eso te mantiene en el borde creativo de las cosas. Trabajamos con una pareja que habían estado casados veintiséis años; en su 26avo aniversario, en lugar de tener una ceremonia nueva; ellos decidieron destruir y des-crear su relación. Lo han estado haciendo desde entonces y dicen que el sexo es cada vez mejor y mejor — y siguen haciéndolo.

Su hija de diecisiete años les dijo ~ ¿Podrían ustedes dos dejar de actuar como dos jóvenes cachondos? Son desagradables. ¡Quieren estar haciéndolo todo el tiempo! Eso paso después de veintiséis años de casados. Pero cosas como esas son las que pasan cuando destruyes y des-creas todo lo que tú has creado, lo que se muestra es la oportunidad para crear algo totalmente nuevo.

Algo interesante e inesperado paso cuando yo decidí destruir y des-crear mi relación son mis hijos. Mi hijo menor, siempre llegaba tarde a nuestras citas. Se podía garantizar que iba a llegar entre media hora o una hora más tarde para cualquier cosa. Tres días después de haber destruido y des-creado mi relación con él, el me llamo y me dijo ~ Oye papá, ¿podemos tomar desayuno juntos?

Le dije ~ Seguro hijo, ¿a qué hora quieres que nos encontremos?
Él dijo ~ Como en veinte minutos...
Yo dije ~ Ok! Muy bien…
Yo estaba con Dain; así que le dije ~ "Tenemos al menos cuarenta o cincuenta minutos" Así que dimos vueltas durante cuarenta o cincuenta minutos.

Cuando llegamos al lugar donde íbamos a desayunar, mi hijo estaba parado en un rincón moviendo su pie del modo en el que yo lo hacía cuando él se atrasaba. Me dijo ~ ¿Dónde has estado? ¡Te he esperado durante treinta minutos!

Yo pensé ~ ¡Oh, Dios Mío! Vinieron los Nuevos Extraterrestres y lo agarraron en medio de la noche. Este no es mi hijo. ¡Él nunca llega a tiempo!

Desde entonces, él llega a tiempo. Eso fue jodidamente raro, sin embargo después de que yo destruyera y des-creará mi relación con él, el dejo de llegar tarde.

El destruir y des-crear, no significa que tienes que destruir y des-crear algo físicamente. No significa que, en realidad, tengas que terminar tu relación. Lo que destruyes y des-creas, es todo lo que tú ya decidiste al respecto, de manera que al hacerlo tienes una mayor claridad sobre lo que es posible. Destruyes y des-creas tus decisiones, juicios; tus obligaciones, molestias enojos e intrigas, tus proyecciones y expectativas, y todas las cosas que tú ya hayas decidido que van a suceder en el futuro.

¿Cómo Haces Eso?

¿Cómo haces eso? Dices - Todo lo que yo era hasta ayer, ahora lo destruyo y lo des-creo. - Puedes destruir y des-crear cualquier cosa. Puedes decir - Todo lo que era mi relación hasta ayer, (o mi negocio, o mi situación financiera), Yo ahora, la destruyo y la des-creo.

¿Qué más es posible?

¿Recuerdas como era cuando eras niño? ¿Comenzabas cada día pensando en lo que estabas obligado a hacer? O ¿Querías jugar y divertirte? Si destruyes y des-creas tu vida cada día, podrás levantarte de tu cama cada día con la pregunta - Ok! Entonces, ¿Qué clase de posibilidad puedo yo crear hoy? O - Oye y, ¿Que más es posible? Si haces esto, vas a crear una realidad completamente diferente. Estarás creando con el entusiasmo de la juventud, porque ya no serás, lo que eras ayer.

¿Quién Soy Yo Hoy, y Que Grandiosa y Gloriosa Aventura Tendré Hoy?

Otra pregunta que puedes usar, después de destruir y des-crear tú vida es - ¿Quién Soy Yo Hoy, y que Grandiosa y Gloriosa Aventura

Tendré Hoy? Si destruiste y des-creaste el ayer, entonces comienzas a crear tú vida como una aventura en vez de una obligación.

VERDADES Y MENTIRAS

La verdad siempre te hace sentir ligero. Una mentira siempre te hará sentir pesado.

Si algo te hace sentir pesado, eso es una mentira para ti; ya sea que lo sea para alguien más, o no. No des tú poder a nadie diciendo que ellos saben más de lo que tú sabes. Tú eres la fuente.

En cualquier cosa, que tú atención se queda estancada, tú tienes una verdad con una mentira adherida a ella. Pregunta - *¿Qué parte de esto es una mentira, hablada o no hablada?*

¿Qué Parte Es Verdad?

La mayoría de las mentiras que retienen tú atención, son las no habladas. Tú sigues y sigues, pensando en eso. Si tienes un pensamiento recurrente, pregunta - *¿Qué parte (de esto) es verdad?* y la respuesta te hará sentir ligero.

¿Cuál es la Mentira Hablada, o No Hablada, Que Está Adherida a Ella?

Luego pregunta - *¿Cuál es la mentira, hablada, o no hablada, que está adherida a ella (a esto)?* Cuando expones una mentira, todo se suelta. Se convierte en verdad y tú te liberas de ella.

"Yo tenía un amigo que era un sanador mágico. Él podía sanar tu cuerpo y hacer milagros simplemente dándote un masaje. El tomo las clases de Fundamentos y la Clase de Nivel I de Access™ y luego dijo que no podía pagar las Clases de Nivel II y III. Yo le dije ~ Te daré las clases porque eres un muy buen amigo mío y realmente quiero que las tomes."

Me dijo ~ "Genial". Pero nunca apareció en las clases. Lo llame una cuantas veces pero él no me devolvió la llamada.

Después de unas dos semanas, yo me estaba sintiendo raro sobre esta situación, así que fui a la oficina de su mujer y él estaba ahí.

Le dije ~ "Oye, ¿podemos dar un paseo?
Dijo ~ Ok!
Yo le dije ~ Entonces, ¿qué fue lo que paso que no viniste a las clases?
Me dijo ~ "Bueno, estuve pensando sobre esto y me di cuenta que mi llamado es vender vitaminas."

¿Vender vitaminas? ¿Ese es, tú llamado? Pensé ~ *¿Eso no me hace sentir ligero…?* ¿Cuál es la verdad aquí? No lo enfrente; pero si me pregunte, ~ ¿Te acaban de ofrecer una clase que vale 1.400 $US y *tú la rechazas? ¿Qué es lo que está pasando?* Me fui y estuve confundido, pensando en eso.

La Verdad Es...

Unos cuantos días después, dije ~ *¡Espera un minuto! La verdad es que ~ ¡El no tomo la clase!*

46

La Mentira Hablada

Y entonces expuse la mentira hablada; que era la de que ~ ¡Él quería vender vitaminas!

La Mentira No Hablada

Luego obtuve la mentira no hablada, que era la de que ~ Fue *su elección* la de no ir a la clase. En verdad ~ fue *su esposa* la que no quiso que el la hiciera. Resulto ser que, era su mujer la fuerte en la familia y ella no quería que él tuviera nada, porque eso significaba que él, la podría dejar. Él era menor, y guapo, y ella no entendía que el la quisiera a ella, por ella. Ella creía que él se quedaba con ella porque ella hacia la mayor parte del dinero, y decidió que era mejor mantenerlo sin poder.

Una vez que yo expuse eso, yo supe lo que estaba pasando y no volví a pensar en eso.

Usa esto con pensamientos recurrentes. Pregúntate ~ *¿Qué parte de esto es verdad?* La respuesta te hará sentir ligero.

Luego pregunta ~ *¿Cuál es la mentira, hablada o no hablada, que está adherida a ella?* Generalmente la mentira que te mantiene enganchado es la mentira no hablada. Expones la mentira y te liberas de ella.

INTERESANTE PUNTO DE VISTA

Cuando estas en un espacio de no juicio, tú reconoces que tú eres todo y no juzgas nada, incluido a ti mismo. Simplemente no hay juicios en tú universo. Hay permisión total en todas las cosas.

Cuando estas en permisión, tú eres una Roca en la corriente. Los pensamientos, ideas, creencias, actitudes y emociones llegan a ti, te rodean y tú sigues siendo la Roca en la corriente. Todo es un Interesante Punto de Vista.

La Aceptación es diferente a la Permisión.

Si estas en aceptación; cuando las ideas, creencias y actitudes llegan a ti y tú estás en medio de la corriente, esta te arrastra. En Aceptación; tú ya sea te alineas y estás de acuerdo ~ *lo que es una polaridad positiva*, o te resistes y reaccionas ~ *lo que es una polaridad negativa*. En cualquiera de los dos casos, tú te conviertes en parte de la corriente y esta te arrastra.

Si estás en *Permisión* de lo que yo estoy diciendo, tú puedes decir ~ *Bueno, ese es un Interesante Punto de Vista. Yo me pregunto si hay alguna verdad en eso.* Y haces una pregunta en vez de reaccionar. Cuando te resistes y reaccionas, o te alineas y estás de acuerdo con los Puntos de Vista, tú creas limitación. El enfoque ilimitado es ~ esto es un *Interesante Punto de Vista*.

¿Cómo funciona esto en el día a día de la vida? Tú y tu amigo están caminando por la calle y él te dice, «Estoy quebrado». ¿Qué haces?

"¡Oh, pobrecito!" Eso es ~ alinearse y estar de acuerdo.
Si le dices ~ "¡Lo estas! ~ Eso es ~ resistencia y reacción.
Sabes, que te va a pedir un préstamo.
Interesante Punto de Vista es ~ ¿En serio?

¿Alguien te irrita? Él o ella, no son el problema. Tú lo eres. Siempre y cuando estés irritado, tú tienes un problema. Te encierras en el baño y dices o piensas ~ *Interesante Punto de Vista, Que Tengo Este Punto de Vista*, para todos los Puntos de Vista que tengas sobre ellos hasta que los sueltes y puedas estar en permisión. Entonces eres libre.

No se trata de la forma en que los otros te responden a ti. Se trata de que tú estés en permisión de que ellos sean la mierda contenida que ellos son. Tú tienes que estar en permisión del espacio que la otra persona ocupa, con el fin de que sean capaces de cambiar.

Tú no tienes que alinearte, estar de acuerdo y amarlos, tampoco tienes que resistirte, reaccionar y odiarlos. Ninguno de los dos es real. Tú simplemente permites, honras y respectas su Punto de Vista sin comprártelo. El estar en permisión de alguien no significa que tú tienes que ser su felpudo.

Tu simplemente tienes que Ser lo que ES.

Lo más difícil es estar en permisión de ti mismo. Tendemos a juzgarnos, y juzgarnos, y juzgarnos a nosotros mismos. Nos estancamos tratando de ser un buen padre o una buena pareja o un buen lo que sea, y siempre estamos juzgándonos a nosotros mismos. Pero podemos estar en permisión de nuestro propio Punto de Vista. Podemos decir ~ *Yo tuve Ese Punto de Vista. Interesante.* ~ *Yo hice eso. Interesante.*

Cuando tú estás en permisión, todo se convierte en ~ Interesante Punto de Vista. Tú no lo aceptas. No te resistes. Simplemente ES. La vida se va poniendo más, y más fácil.

TODO EN LA VIDA, LLEGA A MI CON FACILIDAD, GOZO Y GLORIA

Nuestro Mantra en Access es: Todo en la Vida llega a mí con Facilidad, Gozo y Gloria. No es una afirmación, porque no se trata de obtener algo positivo. Esto incluye lo bueno, lo malo y lo feo. Vamos a tomarlo *todo* con facilidad, gozo y gloria. Nada tiene porque ser con dolor, sufrimiento y cruento; aunque esa sea la manera en la que muchos de nosotros vivimos nuestras vidas. ¡Te puedes divertir en vez de eso! Y ¿Si el propósito de la vida fuera meramente el divertirse?

Todo llega a mí, con Facilidad, Gozo y Gloria.

Dilo diez veces en la mañana, y diez veces en la noche y cambiara tú vida. Ponlo en el espejo de tú baño. Dile a tú pareja que la razón por la que lo has puesto ahí es porque tienes que acordarte de decirlo y cambiara la vida de tu pareja también, sólo con que él o ella lo vean.

¡Adivina que! ¡Nos estamos Casando!

Una señora me llamo y me dijo ~ "Yo quiero que mi novio se case conmigo. ¿Cómo puedo hacer que eso pase?

Yo le dije ~ "Cariño, soy psíquico, no brujo. Lo único que yo te puedo sugerir es que pongas
~ Todo en la vida, llega a mí con facilidad, gozo y gloria; en el espejo donde él se afeita cada mañana, y ¿quién sabe?
Tres semanas más tarde, ella me llamo y me dijo, ¡Adivina que! ¡Nos estamos casando!

Abuela, ¿Qué es eso?

Una abuela que hace Access en Nueva Zelanda nos dijo que su nieto vio ~ Todo en la vida, llega a mí con facilidad, gozo y gloría en su refrigerador, y le dijo ~ "Abuela, ¿Qué es eso? ¿Puedo usarlo?

Ella le dijo ~ "Bueno, eso es de Access y puedes usarlo, sólo dile a las personas de donde es."

Su nieto, que es un gerente de una compañía de refrigeradores, él y su vendedor lo decían juntos diez veces cada mañana, y ocho semanas más tarde sus ingresos subieron de 20.000 $ a 60.000 $ por mes. Y eso sin cambiar nada.

El nieto le dijo al vendedor con ventas más bajas que dijera ~ *¿Cómo puede mejorar más aun esto?* El hombre comenzó a decirlo cada vez que el daba una nueva factura, y sus ventas se incrementaron de 7.000 $ a 20.000 $ por mes.

Estas personas no habían oído de Access y no tenían idea de dónde venían estas herramientas, pero las usaron — y experimentaron grandes cambios en cuanto a la forma en que el dinero comenzó a fluir en sus vidas. Tú también puedes.

3

Obten La Visión De Cómo Quieres Tú, Que Tú Trabajo Sea

¿TE GUSTA TU TRABAJO?

La mayoría de las personas, cuando consiguen un trabajo, deciden que ellos tienen que aceptar lo que sea que sus jefes les den. Ellos piensan que si su jefe los trata mal, ellos tienen que aguantar eso. Esa es la forma que está establecido. Y si no les gusta, se pueden ir. La mayoría de las personas eligen aferrarse a sus trabajos incluso aunque no les guste, porque creen que si tienen la suerte suficiente de tener un trabajo, lo mejor será que se aferren a él. Puede ser que no consigan otro.

¿Has sufrido alguna vez de esta forma de pensamiento? *Si consigo ese trabajo, lo mejor será que me aferre a él porque puede ser que no consiga otro.* Mucho más por vivir en las posibilidades infinitas.

Obtén la Visión de Cómo Quieres Tú, Qué Tú Trabajo Sea

En vez de tomar un trabajo que no te gusta y soportar condiciones que te hacen infeliz, ten la visión de ~ Cómo te gustaría que tú trabajo sea.

Por visión queremos decir más de cómo se va a ver. Es la vibración de los componentes lo que hará que eso fructifique. ¿Cómo se sentiría tú trabajo? ¿Qué estaría implicado en él? ¿Cómo se mostraría?

No pienses en el simplemente. Obtén la sensación del mismo. Y cuando algo se muestre que sea como esa sensación, muévete en esa dirección. Cuando algo se muestre que no sea en esa dirección, no vayas hacia ahí. Si tienes una leve sensación, que se parezca a ella, pero no es completamente esa sensación, no vayas hacia ahí. El momento que tomas un trabajo para sobrevivir, sobrevivencia es todo lo que vas a conseguir. No sucumbas a ~ Tengo que pagar mis cuentas.

Antes de comenzar a hacer Access, yo decía:

"Okey, yo quisiera un trabajo en el que yo pueda viajar al menos dos semanas cada mes.
Yo quisiera ganar un mínimo de 100.000.00 $USD al año.
Me gustaría trabajar con personas realmente interesantes y nunca aburrirme.
Yo quisiera un trabajo que este siempre cambiando, expandiéndose, y que cada vez sea más divertido.

A mí me gustaría un trabajo en el que, más que cualquier otra cosa, sea sobre facilitar a que las personas estén más conscientes y tengan más consciencia de lo que quisieran crear en sus vidas.

Esas son las cosas que yo quería. Yo llene una pequeña burbuja con eso frente a mí y jale energía hacia ella, de todo el universo hasta que la sentí crecer y fortalecerse y luego saque pequeños hilillos de energía hacia todas las personas que podrían estar buscándome a mí y no lo sabían. Cada vez que yo encontraba algo en mi vida que tuviera el aspecto de eso, o la sensación de eso. Yo lo hacía. Ya sea que tuviera sentido o no para mí. Yo hice muchas y diferentes cosas, y cada cosa que hice, me llevo más cerca de lo que estoy haciendo ahora. A todo lo que me daba la sensación de lo que yo estaba pidiendo (o preguntando por), yo lo hacía —y eso me llevaba a lo siguiente. Fue por eso que yo termine haciendo Access.

Lo primero que se muestre, puede ser que no sea el último paso, pero esa es la forma en que tú eliges las cosas que son pasos seguros.

Un día yo fui a un lugar en el que me pidieron que haga una canalización para un masaje.

Pregunte - "¿Qué es eso? ¿Tengo que estar con los ojos abiertos? ¿Tengo que sacarme la ropa? ¿Tengo que tocar tú cuerpo? Y ¿Me van a pagar?"
El tipo me dijo - "Yo sólo quiere que canalices para el terapeuta que me hace el masaje"
Le dije - "Oh, Ok! Muy bien. Yo puedo hacer eso."

Hice eso, y comencé a usar las herramientas que se han convertido en las herramientas de Access. Desde entonces, Access ha crecido por sí mismo boca a boca. El noventa y nueve por ciento de las personas que llegan lo escucharon de un amigo, toman la clase y lo hacen. ¿Por qué creció tanto? Porque yo estoy abierto a eso, porque yo estoy dispuesto a recibir lo que sea, y porque estoy dispuesto a salir de mi zona de confort y convertirme en alguna otra cosa.

¿Cómo Sería Un Trabajo Que Hiciera Que El Monto De Dinero Se Incremente Continuamente?

¿Cómo seria, se sentiría o que gusto tendría un trabajo que hiciera que el monto de tú dinero se incremente continuamente? Y ¿Si no se tratará de sobrevivencia e incluso no tendrías que preocuparte si obtienes dinero por él? ¿Y si el dinero no fuera el tema primordial en el proceso? ¿Y si lo primordial fuera el tener la habilidad de alcanzar lo que en verdad quieres en tú vida? La forma en la que te conectas con las personas. La forma en la que las ayudas a lograr sus deseos y objetivos.

Pídele al Universo que Te Ayude

Pídele al Universo que te ayude. Dile ~ Okey, a mí me gustaría un trabajo que tenga esto, y esto, y esto. Comienza a jalar energía hacia esa visión, de todo el universo hasta que sientas que se hace más grande, y luego lanza hilillos que lleguen a todas esas personas que te están buscando y no lo saben. Cada vez que una sensación que sea como esa visión, se muestre en tú vida, hazlo.

Todas las cosas son posibles. Tú eres un ser ilimitado. Tú tienes posibilidades ilimitadas. Elige lo que quisieras elegir en tú vida.

Hace muchos años yo tenía un negocio de tapicería, y descubrí que yo tenía lo que llego a ser un talento único. Yo podía ver las alfombras o cortinas de mis clientes, o lo que fuera, y saber exactamente que colores eran los necesarios para ellos y podía mantener una imagen clara de los mismos en mi cabeza. Seis meses después yo me encontraba con un tapiz que era exactamente del color de la alfombra de mis clientes. Llamaba a mis clientes y les decía que había encontrado justo el tapiz que ellos necesitaban, y me decían ~ Genial. ¿Puedes comprarlo para nosotros? ¿Cuántas yardas necesitamos para nuestras sillas?

Se los decía y compraba el tapiz. ¿Les cobraba por eso? No, no lo hacía. ¿Por qué hacía eso? Yo no reconocía esta habilidad como algo especial. Yo me imaginaba que todos podían hacer lo que yo podía hacer, y por lo tanto no tenía un valor en dinero. Eso es lo que a menudo pasa con nuestras habilidades y talentos. Llegan a nosotros con tanta facilidad que no pensamos sobre ellas. No vemos el valor que tienen para otros.

¿Qué es eso, que tú haces con tanta facilidad que no te significa ningún esfuerzo? ¿Qué es tan fácil para ti que tú crees que todos lo pueden hacer? Por supuesto, la realidad es que nadie más puede. Tú tienes que comenzar a preguntarte ~ Okey, ¿Cuál es mi talento y habilidad; eso que yo puedo hacer que yo pienso que no tiene valor? Es esa cosa — eso que tú haces con facilidad, y que tú piensas que no tiene valor — lo que probablemente sea el talento más valioso que tú tienes. Si comienzas a usarlo para crear dinero, tú serás increíblemente exitoso.

Hace tiempo, cuando yo trabajaba en Bienes Raíces, conocí a una señora que trabajaba para una Compañía de Bienes Raíces muy grande. A ella le encantaba cocinar. Hacía comidas increíbles para sus amigos y hacia los postres más extravagantes que alguien podía haber probado alguna vez. Cada vez que ella hacía un open house, ella servía uno de sus postres, y todos los corredores de Bienes Raíces iban.

Un día alguien le dijo - "Eres tan buena cocinera. Deberías abrir una Pastelería." Lo hizo, y ahora ella es multimillonaria. No fue hasta que alguien le señalo que tenía un talento único, que ella pudo ver eso. A ella simplemente le gustaba la repostería. Y debido a que alguien, finalmente le dijo - "Lo que tú haces es grandioso. Deberías poner una pastelería" ella lo entendió. Se retiró de los Bienes Raíces, donde ella estaba ganando unos 100.000 $USD por año y ahora gana millones. Ella está haciendo lo que ella ama hacer.

Haz Lo Que Amas Hacer

Tú querrás hacer lo que amas hacer, no lo que te apasiona. ¿Sabes de donde viene la palabra pasión? Viene de la palabra griega sufrimiento y martirio; se la usaba como referencia al sufrimiento y crucifixión de Cristo. Eso es lo que pasión, significa. Si deseas ser clavado en una cruz, sigue tu pasión. Busca siempre las definiciones originales de las palabras que usas, porque ellas tienen muchas mal-aplicaciones y mal-identificaciones, lo que hace que nosotros nos compremos mentiras sobre lo que las palabras significan. Es importante saber el verdadero significado de las cosas.

Hay personas que te dicen durante años - Sigue tu pasión. ¿Ha funcionado eso para ti? No. Tiene que haber una razón para que no haya funcionado, y la razón tiene que ver con la definición de esta palabra.

Si te han dicho que esto-y-esto es lo que va a crear cierto resultado y no funciono, busca la definición en un diccionario antiguo. Es posible que tú encuentres que la raíz de la palabra significa exactamente lo opuesto de lo que la persona está tratando de transmitirte a ti. Si la energía y la palabra no coinciden, hay una mala-aplicación o mala-identificación, y esa palabra está mal-definida.

Si quieres hacer dinero, haz lo que amas. Si haces lo que tú amas, puedes hacer dinero con eso; es decir — si tú estás dispuesto a recibir dinero por amor. En otras palabras tú tienes que estar dispuesta a ser prostituta.

HAZ LA ELECCION DE SER MÁS GRANDIOSO

Trabajamos con una mujer que tenía un negocio pequeño. Ella decidió que quería que crezca y que sea más grande. Decidió que el suyo, ya no sería un negocio pequeño. Fue y busco la firma más cara de Relaciones Publicas en su ciudad para promover su negocio y casi inmediatamente, ella comenzó a tener acceso a las grandes corporaciones. Salió en la radio y un artículo sobre ella fue publicado en la revista ejecutiva más importante.

Le pregunte a ella que fue lo que cambio, y me dijo - "Yo hice una elección"
Le pregunte - "Oh, Y ¿Cuál fue la elección?
Ella me dijo - "Yo elegí ser más grande de lo que soy."

Eso es lo que tú tienes que hacer. Tienes que hacer la elección de convertirte en más grande de lo que has estado dispuesto a ser.

Cuando recién estaba promoviendo y desarrollando Access, yo decidí que tenía que ser más extravagante. Yo tuve que dar el paso y convertirme en más, de lo que yo estaba dispuesto a ser. Yo tuve que estar dispuesto a mostrarme, pararme y convertirme en alguien controversial. Yo tuve que estar dispuesto a hacer la demanda de que yo, iba a sacudir el mundo de las personas de alguna manera.

Una vez que yo tome esa decisión, mi negocio comenzó a crecer, porque yo estuve dispuesto a ser más. Es la elección de Ser

Más, la que hace crecer tu negocio. Eso no significa necesariamente que tengas que buscar una firma de Relaciones Públicas.

Lo importante es tomar la decisión; luego, la forma de hacerlo comenzara a mostrarse en tu vida. Es, cuando no estás dispuesto a hacer el compromiso de ser más grande de lo que en realidad eres, que te quedas estancado en el mismo lugar que siempre estuviste y en el que siempre vas a estar.

Estoy hablando de la disposición de Ser Más en cada aspecto. Tienes que dejar de rehusarte a Ser todo lo que en verdad Eres.

Te tienes a ti mismo bastante definido, ¿Correcto?

Yo soy esto — Yo soy esto — Yo soy esto.

El convertirte en más, significa que tienes que desafiar, derrotar y destruir esas viejas definiciones de ti mismo.

Sólo por Hoy, Yo Seré Más Grandioso De Lo Que Fui Hasta Ayer

Cada mañana cuando te levantes comienza destruyendo y descreando todas las definiciones que tenías sobre ti, y di - Sólo por hoy, yo, seré más grandioso de lo que fui hasta ayer.

SI VAS A SER EXITOSO, ¿QUIEN TIENES QUE SER TÚ?

¿Piensas que tienes que ser otra persona con el fin de ser exitoso? Un actor tiene que convertirse en alguien más —pero, ¿tienes tú? Piensa en todas las identidades que tú has creado para supuestamente asegurar tu éxito. ¿Te ha ayudado? ¿O ha hecho eso que sea más dificultoso para ti tener el éxito que tú querías? ¿En realidad, estas perdido en relación a lo que tú eres?

Si vas a ser exitoso, ¿Quién tienes que ser tú? La respuesta es - Tú tienes que ser Tú mismo. Tú tienes que ser Tú. Para ser exitoso, tú tienes que dejar de estar perdido y reclamar y apropiarte de la capacidad de mostrarte como Tú Eres. Y tienes que destruir y des-crear todo lo que no te permite *Percibir, Saber, Ser y Recibir – Quien, Que, Donde, Cuando, Porque y Como en Verdad Eres.*

Cuando recién estaba comenzando con Access, Yo siempre hacia esta pregunta - ¿Qué más debo yo, Percibir, Saber, Ser y Recibir que me permita a mí y a Access crecer con facilidad? Yo hice esta pregunta treinta veces durante 4 días. Y de repente me di cuenta de lo que no estaba dispuesto a hacer.

Yo no estaba dispuesto a ser un Gurú para otras personas. No estaba interesado en estar en control de la vida de otras personas. Yo estaba interesado en estar en control de mi propia vida. Estaba interesado en que, mi vida crezca. No estaba interesado en ser responsable por la de nadie más. El hecho de no estar dispuesto a aparecer como un Gurú para las personas que querían eso, había limitado el número de personas que podían llegar a Access.

Descubrí que me mantenía tratando de probar que yo no era un Gurú disminuyéndome y haciéndome menos de lo que realmente era. Una vez que yo me di cuenta de lo que yo estaba haciendo, yo estuve dispuesto a decir - Ok! Yo puedo pretender ser un Gurú. Yo puedo pretender ser cualquier cosa, pero yo no tengo que serlo. Yo simplemente puedo parecer que lo soy para otros. Yo cambie a eso y Access comenzó a crecer.

¿Qué Mas Debo Yo, Ser?

Y luego tuve que dar un paso más. Yo pregunte, Entonces, ¿Qué más puedo yo Ser? Yo, me di cuenta de que yo tenía que ser controversial. Si tú eres controversial; las personas hablan de ti ¿Correcto? Así que la buena noticia es que yo estuve dispuesto a ser todo lo controversial como fuera posible. Una vez, cuando yo estaba en un programa de radio en San Francisco; hablando sobre una clase de sexo y relaciones, que yo iba a comenzar a dar, yo dije ~ Y vamos a estar hablando sobre sexo anal y abuso. El moderador tocio y dijo…

~ Disculpe Señor Douglas… Eso fue divertido.

Si No Estás Dispuesto a Exponerte a Ti Mismo, ¿Podrás Tú, Recibir Más?

Ya que yo estoy dispuesto a hablar de cualquier cosa, y debido a que yo, estoy dispuesto a ser extremadamente escandaloso y a exponerme a mí mismo de una manera que no estaba dispuesto a hacerlo antes, todo tipo de personas están apareciendo para trabajar conmigo. Si no estás dispuesto a exponerte, ¿será que puedes recibir más? No, no puedes. Tienes que estar dispuesto a ser controversial si quieres hacer tu vida mejor. Tienes que estar dispuesto a remover la olla. Tienes que estar dispuesto a destruir todo lo que tú creas que es conservador y estar fuera del sistema de control de tú actual realidad. ¿Cómo sería tu realidad si estuvieras dispuesto a hacer eso?

La respuesta es que en vez de estar contraído en tu vida, estarías más expandido. ¿Miras tú, todas las maneras en las que *no* deberías hacer las cosas, en lugar de las maneras en que podrías hacerlas, o puedes hacerlas, o puede que seas capaz de hacerlas?

Cuando testas fuera de control, te importa un carajo los Puntos de Vista de los otros... No reclamas, haces propias o reconoces reglas que no aplican para ti. Si estás dispuesto a dejar de vivir bajo las normas y las reglas de las otras personas, entonces, dejas de basar tu vida en los Puntos de Vista de los demás.

¿Qué Pasaría Si Tú, Estuvieras Fuera De Control?

¿Qué pasaría si tú estuvieras fuera de control, fuera de definición, fuera de limitación, fuera de forma, estructura, significante, al crear tu fabulosa, increíble y abundante vida? Tú serías escandaloso. Te divertirías mucho. La vida seria sobre experimentar el gozo de ella. Se trataría de celebrar, no de disminuirte.

Podrías por favor reclamar y poseer; la capacidad de celebrar tú vida y hacer de ella una experiencia gozosa cada día, ¿comenzando desde hoy día? Y ¿Podrías por favor reclamar y poseer la habilidad de estar fuera de control?

4

Tratando Con Personas Dificultosas

ELFS & SERPIENTES DE CASCABEL

Un ELF es una persona que va a menospreciarte y va a menospreciar[4] a cualquiera solo por diversión. ¿De dónde sale la palabra ELF? ~ ELF son las siglas para ~ Evil, Litlee, Fuck (de ahí el acrónimo, ELF) que traducido es ~ Pequeño, Jodido, Demonio. Un ELF es esa persona que te dirá ~ ¡Oh, lindo vestido, me encanta cada vez que te lo pones!" o ~ Excelente vestido. Se ve muy bien en ti, incluso con todo el peso que has ganado."

---

4. La palabra en inglés es ~ Undermine – que traducida es Socavar, Minar, Quebrantar. En la traducción se usa menospreciar y disminuir en la traducción por la implicancia de Buling o Menospreció.

Tendemos a ver a todas las personas, ya sea como que, todos son buenos o todos son malos. Queremos ver lo bueno en ellos, pero no lo malo. Pensamos que no es bondadoso ver lo malo. Será que lo es? ¿O será estúpido y loco el no verlo? Es estúpido y loco. Eso también es no estar consciente. Tenemos que estar dispuestos a ver tanto lo Malvado, en alguien, como lo Bueno.

¿Alguna vez ha sacado alguien ventaja de ti? ¿Te han usado alguna vez por tu dinero? Tienes que reconocer que, hay ELFs (Pequeños Jodidos Demonios) y Serpientes de Cascabel en el mundo por ahí y algunos de ellos tienen cuerpos humanos.

Cuando una Serpiente de Cascabel está en un cuerpo humano, no querrás que ella te lleve a tú casa por la noche. De un modo u otro te morderá y dejara su veneno en tú universo.

Reconoce siempre a los ELFs y a las Serpientes de Cascabel en tu vida. Si no los reconoces por lo que ellos son, ellos no pueden cambiar. Ellos no pueden ser nada que sea diferente. Sabemos que nadie es, toda maldad, pero, ¿será que a las serpientes les gusta que las reconozcan como las serpientes numerarias de la liga? No. Eso las pone sumamente enojadas y hace que te quieran morder más fuerte.

Si tú las ves, las reconoces y te dices a ti mismo ~ *Tú eres una Serpiente de Cascabel y veo que tienes esos increíbles diamantes en tu cola… ¡Vaya, que cascabeleas bien, yo voy a pararme a dos metros y medio de distancia de ti, todo el tiempo!* ~ Así, ya no podrán morderte.

Cuándo puedes ver la maldad en alguien y reconocerla ~ ¿Es ese, un juicio? o ~ ¿Es esa una observación? Si observas que alguien está dispuesto a hacerte maldades, entonces ellos ya no podrán hacerte maldades. Sólo te llega un puñetazo cuando no estás dispuesto a ver que alguien está haciendo algo que no es amable, que no está bien, o no es expansivo.

Comienza a ver la verdad desde la cual funcionan las personas. No te compres la idea de que todos son buenos o que todos son malos.

Hemos tenido a personas en nuestras clases que simplemente son como serpientes. Yo pensaba ~ *Por favor Dios, no dejes que esta persona venga,* pero seguían volviendo. Ellos son siempre una gran lección, porque yo sé que eventualmente ellos van a hacer algo malvado y ofensivo. Pero como yo se eso; y estoy preparado, los puedo manejar. Yo no cometo el error de creer que simplemente porque están viniendo a una clase, ellos van a querer ser conscientes o de que, en realidad ellos van a tomar consciencia. Yo sé que su elección es la de ser anti-consciencia; y si ellos están siendo anti-consciencia, entonces ellos, no van a estar conscientes, por lo tanto no van a estar conscientes de las cosas que hacen, y van a elegir deshonrar a otros a cada momento.

¿Quiénes Son los ELFs y Serpientes de Cascabel en Tu Vida?

¿Quiénes son los ELFs y las Serpientes de Cascabel en tu vida? ¿Podrías dejar de luchar para ver lo bueno en ellos; y dejar de juzgarte a ti mismo por no ser capaz de hacer lo correcto, de manera que ellos dejen de ser malos y ruines?

Cuando llegas a reconocer a los ELFs y a las Serpientes de Cascabel alrededor tuyo, no desde el Punto de Vista de juzgarlos, sino desde el tener consciencia de ellos, tú creas la libertad para mantenerte alejado de ellos — o sabrás cómo manejarlos.

Tenemos una amiga que hace acupuntura, y ella tenía una cliente que era un ELF de magnitud. Ella me pregunto que debería hacer con ella, y yo le dije ~ *"Simplemente trátala, pero reconoce que ella es una ELF."*

Mi amiga me llamo unas semanas más tarde y me dijo, "¡No puedo creerlo! Yo pensé que ella iba a ser la última persona que alguna vez cambiaría, pero ella vino hoy, y me dijo,

~ Yo he sido una terrible persona toda mi vida — he sido mala y desagradable con todos. He decidido que quiero ser madre, y no me puedo imaginar a un bebe que quiera una madre que sea tan mala como yo lo he sido. ¡Yo voy a cambiar!"

Todo lo que tú tienes que hacer, es reconocer cómo es alguien. Tú no tienes que tratar de cambiarlos.

PERSONAS QUE HACEN UN TRABAJO DE MALA CALIDAD

¿Has conocido personas que no cumplen con su trabajo o que hacen un trabajo de tan mala calidad, y has tenido que contratar a alguien más para acabar el trabajo que ellos han comenzado? ¿Te has preguntado cómo se salen con la suya? La cosa es que, si no estás dispuesto a recibir todo lo que una persona está dispuesto a hacer; incluido lo bueno, lo malo y lo feo, entonces ellos te joden.

Yo tuve una vez, un ama de llaves. Ella era una persona que yo conocía, una amiga. Llegue a mi casa un día, después de un día de trabajo muy duro. Estaba cargando a mi hijo en mis brazos mientras entraba a la casa, y estaba exhausto. La casa estaba una mugre.

Yo le dije ~"Pensé que limpiabas hoy."
Ella dijo ~ "Lo hice, me debes 80.00 $USD"

Le dije - "¿Por qué? Lo único que yo puedo ver aquí es que los mesones de la cocina están limpios y que la grifería está brillando, pero todo lo demás es un desorden. La alfombra necesita ser aspirada. El piso de la cocina no ha sido limpiado."

Ella dijo - "Bueno, tú me debes."

Le dije - "¿Cómo puedo deberte? No has hecho nada. ¿Qué te hace pensar que te mereces los 80.00 $USD?"

Me dijo - "Porqué lo merezco."

Le dije - Yo pensé que tú eras mi amiga, ¿Vas a sacarme 80.00 $USD porque tú crees que te lo mereces y no has limpiado nada? ¿Qué tipo de amistad es esa?

Ella me dijo - "Sólo son negocios. No te lo tomes personal."

¿Alguna vez te ha tocado alguien que te haga eso? *Son sólo negocios. ¡No te encanta! ¿Son solo negocios?* Eso significa que a ti, te pueden hacer cualquier cosa que ellos quieran; y pueden ser tan poco éticos como ellos elijan ser, y tú, tienes que aguantarlo, y, estas equivocado, si te ofendes.

- Son sólo negocios, No es personal...
¡Claro que es personal!
Cuando alguien jode a alguien, ¡es personal!

¿Se ha aprovechado alguien de ti, de esa manera? ¿Estás dispuesto a párate y Ser la Grandeza que Tú Eres? y decirles - "No. ¡Yo no lo voy a permitir!"

¿Tienes Tú, Que Ver Únicamente Lo Bueno En Los Otros?

¿Cuánto tienes que cortar de ti mismo para no Percibir, Saber, Ser Y Recibir donde está asentándose[5] en verdad la otra persona? ¿Poco o mucho? Mucho. Muchas personas no quieren creer esto. A ellos les han dicho que solo tienen que ver lo bueno en los otros, pero si no puedes ver lo que Es, ¿Cómo vas a poder actuar apropiadamente?

Haces lo que es apropiado porque tienes consciencia. Te fijas y dices - *Ok! Está haciendo suficiente frio como para ponerme una chaqueta.* Cuando estas totalmente consciente, recibes la información de todo. Si sales, para estar afuera, en la naturaleza, esperando que ella te cuide, es que no estás dispuesto a ver que se va a poner frio. No estás dispuesto a ver que va a llover. ¿Te empaparías? ¿Te haría frio? Si.

En nuestra vida; en aquello en donde no percibimos lo que va a suceder, estamos desnudos ante las posibilidades.

La Idea Es Estar Conscientes

La idea es estar consciente, para permitirte recibir; como lo haces cuando estas en la naturaleza. Eso significa que no cortas tú percepción y no decides en contra de toda la evidencia - *Ok! Esta es una buena persona con la cual trabajar.* Si tú decides que alguien es honesto, y esa persona te dice una mentira, ¿Será que lo vas a

---

5. NdelaT. En el texto en Ingles Gary dice - How much of you do you have to shut off to not perceive, know, be and receive where somebody truly sits? En este sentido se traduce - Donde está la otra persona asentándose, puede también decirse, Donde se para la otra persona o Desde donde funciona la otra persona.

notar? O vas a decir ~ *No, ella no puede haberme mentido.* ~ Ella lo va a hacer diez veces más antes de que tú le digas ~ *¿Sabes qué? ¡Eso es deshonesto!* Y entonces, sin importar si ella dice algo que es cierto o no, tú no podrás oírlo. Porque aún no estarás siendo consciente.

Tienes estándares en base a los cuales tú, defines lo que recibes de otros. Si quitas ese estándar y te permites recibir todo de ellos, entonces, no tendrás que tener un juicio antes de encontrarte con ellos. Tú podrás decir ~ *Okey, Entonces, ¿Quién está aquí frente a mí? ¿Qué es lo que está pasando? ¿Qué es lo que están haciendo?*

Si te mienten, tú podrás decir, ~ *Oh, esa era una mentira. Okey, Interesante. Yo me pregunto si van a decir más mentiras.* Tú podrás comenzar a notar sobre qué cosas mienten. Y te darás cuenta, ~ *Oh, así que si yo hago esto, ellos van a mentir hasta que tener todo mi dinero. Pero, en esta otra área de la vida, ellos son honestos. Ok! Genial. Yo voy a comprarme esta parte de su trato, pero no me voy a comprar esta otra parte.*

¿Estarías Dispuesto a Recibir Toda la Información?

Si vas a una tienda en la que están vendiendo reproductores de DVD y preguntas por un modelo específico, y el vendedor te dice ~ "Oh no, no tenemos ese modelo ya. Ese, ya es un modelo obsoleto. "¿Estará el diciéndote la verdad? Si estás dispuesto a recibir toda la información de la misma manera que cuando estas en la naturaleza, tú sabrás si él no te está diciendo la verdad.

Lo que realmente puede estar pasando es que ellos no tengan ese modelo en la tienda y el vendedor quiere venderte el modelo que, sí tiene. Él no quiere que te vayas de la tienda hasta que le compres algo. Ni siquiera dirá ~ "Bueno, yo puedo conseguirte ese modelo." Él quiere que compres lo que él tiene en el almacén. Si tu estas dispuesto a recibir toda la información, entonces tú sabrás lo que está pasando y tu podrás decir - *Ok! Este no es en realidad un lugar en el que yo quiera hacer negocios. No me van a dar lo que yo estoy buscando. No están interesados en atenderme adecuadamente. Sólo están interesados en sacarme dinero.*

¿Qué es lo que buscas cuando vas a comprar algo? ¿Estás buscando a un vendedor que se ocupe de ti? Cuando llegas a la tienda y alguien es realmente amable y te dice - Hola. Es tan bueno verte. Oye, ¿Cómo estás? ¿Esta esa persona cuidando de ti? ¿Está siendo real? No. Pero que tal si cuando llegas, te dice - Hola. ¿Qué puedo hacer por ti? Si te hacen esa pregunta, ellos tal vez estén interesados en ti.

¿Quién te dio el Titulo de Dios?

Si no reconoces cuando alguien está haciendo algo poco ético, está siendo mezquino, malo, cruel, divisivo o vicioso; lo que pasa es que asumes la responsabilidad de eso en ti. Piensas - *Si yo hubiera echo eso de manera diferente, él no hubiera hecho lo que hizo. Yo he debido hacer algo malo. ¿Qué es lo que está mal conmigo?*

Tú no estás dispuesto a reconocer que tú no harías algo malintencionado o mezquino y cruel. Tú podrías estar tentado, pero no elegirás eso. Tú, te hechas la culpa a ti.

¿Porque te hechas la culpa a ti mismo? ¿Porque te haces responsable de las elecciones que otros tienen al ser malvados y crueles? ¿Eres tú, el responsable del mundo entero?

Yo ciertamente tenía ese Punto de Vista. *Si yo fuera Dios, este lugar funcionaría bien.* Pero cuando tú tienes ese Punto de Vista, tú siempre tienes que ver el - Cómo - si tu hubieras hecho algo de manera diferente, la otra persona hubiera hecho una elección diferente. No. A algunas personas simplemente les gusta hacer ese tipo de cosas. ¿Podrías por favor reclamar, poseer y reconocer que a algunas personas simplemente les gusta ser malos?

Cuando Te Juzgas a Ti Mismo, ¿Estás Siendo Consciente?

Cuando te culpas a ti mismo por lo que otras personas hacen o no hacen ~ ¿A quién juzgas? ~ A ti mismo. ¿Y si te juzgas a ti mismo, estarás siendo consciente? ¿Eres capaz de ver que ellos están eligiendo ser malos, porque les gusta? No. Tú asumes que no lo intentaste con demasiada intensidad, y que si lo hubieras hecho mejor, ellos no serían crueles.

¿Cuando alguien roba tú dinero, es porque tú se los permites? Es porque tú no estabas lo suficientemente centrado en ti mismo o porque no los viste a ellos lo suficiente…o ¿es porque a ellos les gusta robar? Si tú, estas lo suficientemente claro en relación a que tú no eres responsable por las elecciones que otras personas hacen, entonces tú puedes ver que es lo que ellos van a hacer entes de que lo hagan.

Tu simplemente dices ~ *Ok! Ellos van a elegir eso. Interesante punto de Vista*. Y luego, cuando lo hacen, tú dices ~ ¿Sabes qué? ¡Esto fue suficiente! Yo no quiero jugar contigo más a este juego. Puedes irte ahora o yo lo hare.

No trates de hacer que este bien. No trates de mantener una amistad o una relación de negocio en existencia; pensando que si simplemente haces lo correcto, o que si haces algo mejor, o que sí, tú cambias, ellos van a entender… así… de repente, van a entender que es lo que tú estás diciendo. Eso, no va a pasar.

¿QUE HACES DESPUES DE HABER SIDO EMBAUCADO O ENGAÑADO EN UN ACUERDO DE NEGOCIOS?

¿Qué haces luego de haber sido engañado en un acuerdo de negoción o una relación? ¿Es más fácil perseguir a alguien para conseguir algo a cambio—o crear algo nuevo? En vez de ver al pasado, a lo que paso o no paso. Pon tú atención en cómo crear un futuro en el cual crear más de lo que ya tienes.

Hay personas que se han robado partes y piezas de Access y luego han creado sus propios programas basados en lo que aprendieron de mí. ¿Era de ellos? Ni una onza de eso. Lo robaron todo de mí. Ellos re-escribieron algunas cosas, las nombraron con nombres un poco diferentes y están enseñando mi material, como si el material fuera de ellos. Yo podría demandarlos por usar mis derechos de autor, pero prefiero gastar una hora ayudando a alguien que, quiere tener consciencia, a pelear para frenar a alguien que nunca va a tener consciencia. Además, yo sé, que el material que se robaron, de todos modos, no va a funcionar para ellos.

¿Será Que Las Personas Sin Ética Se Hacen Daño a Sí Mismas?

¿Será que las personas sin éticas eventualmente se vean afectadas? No. Ellas no creen en el Karma. Ellas, no van a cambiar. Ellas van a continuar engañando a todos los que puedan mientras puedan. Y una vez que se mueran, esas personas van a volver aquí y lo van a volver a hacer porque, les gusta hacerlo. ¿Estarías tú dispuesto a saber que, a algunas personas, simplemente les gusta ser crueles?

Es una de las cosas en la que son buenas. Es su punto fuerte en la vida. Cuando alguien es bueno en algo, ellos siguen haciendo eso.

Si tú, estás dispuesto a ver que alguien es un ELF o una Serpiente de Cascabel, ellos no tendrán ventaja sobre ti. Tú no lo puedes ser. Pero, cómo tu eres bondadoso, cariñoso, amoroso y todas esas cosas que en verdad eres, a menudo no vez a las personas por lo que son. En lugar de eso, te juzgas a ti mismo como - equivocado. Pero la verdad es que tú no eres poco ético, tú no eres malintencionado. Desafortunadamente eso significa que eres despreocupado, querendón, y alguien de quien es fácil aprovecharse, todos te ven como un ingenuo. Pero sólo eres ingenuo mientras no estés dispuesto a identificar a las personas que están dispuestas a ser malas y crueles.

¿Pueden las Personas Aprovecharse de Ti Si Tú Percibes lo que Ellos Van a Hacer?

Mientras tú estés consciente, nadie podrá aprovecharse de ti, porque tú puedes decir - *Yo no voy a hacer eso.* Tú, eres quien elige. Cuando estas consciente, no esperas que la gente haga nada de manera diferente a lo que ellos ya hacen.

Es cuando esperamos que las personas actúen de la misma manera en que nosotros actuamos, que nos dan un manotazo. Las personas actúan de la manera en que ellos actúan y, tú, necesitas ver eso. Si tú no estás dispuesto a recibir esa información, se aprovechan de ti.

Tienes que recibir toda la información sin juicio. Ver que es lo que está pasando. No se trata de - *¡Uy! Tengo que estar atento. Es - ¡Aja! ¡Tengo que estar Consciente!.* Si estas consciente, nadie se podrá aprovechar de ti, pero si te estas cuidando, todos lo harán.

Cuando Dain estaba buscando un BMW, fuimos a ver muchos de los anuncios de venta de autos que había. Habíamos llamado en la mañana y nos dijeron que todavía estaba disponible, cuando llegamos ahí el vendedor nos dijo, "Oh, acabamos de venderlo.

No hay problema, tenemos estos Porsche Boxters. Mucha gente nos llama por los BMW; y les doy estos en lugar de esos carros, yo ya les hice esto a otras diez personas.

~ "Yo ya *les* hice esto a ellos" él dijo.
~ Tomamos eso en cuenta y "Chau, Gracias." Nos fuimos de ahí.

¿CÓMO TRATAS CON ELFos y SERPIENTES DE CASCABEL?

¿Cómo tratas con personas difíciles como los ELFos y las Serpientes de Cascabel? Lo haces sin preconcebir el resultado. No tienes un interés preconcebido en el resultado.

Cuando estas pidiendo (preguntando) algo en la vida; lo que sea que estés pidiendo recibir, no puedes tener intereses preconcebidos en el resultado. ¿Entiendes lo que decimos con esto? Si yo pienso que yo quiero ganar un millón de dólares y que tengo que obtenerlos de ti, yo estoy teniendo un interés preconcebido en un resultado. Yo demando, *¿Me vas a dar el millón de dólares? ¡Dame mi millón de dólares!* Eso es tener un resultado preconcebido.

Yo tengo que tener un millón de dólares se traduce en ~ Yo tengo que salir y hacer — esto — y esto, y esto. Yo quiero un millón de dólares así que tengo que hacer estos 3 millones de procesos de construcción y tengo que comerme la mierda de esta persona, y tengo que comerme los sapos de esta otra persona, y tengo que dejar que los banqueros me engañen y estrangulen cada vez, y al final… va a funcionar.

Pero cuando no tienes un interés preconcebido en el resultado, tú puedes preguntar ~ ¿Cuáles son las infinitas posibilidades de que 1 $ millón llegue a mi vida en los próximos años, o el próximo año, o en los próximos 6 meses?

La forma más fácil de tratar con gente difícil es estar en permisión. Si vieras a una Serpiente de Cascabel, ¿te echarías con ella en la misma cama? Si ves que alguien es un EFL o una Serpiente de Cascabel; tu puedes decirle ~ Interesante Punto de Vista. Ellos piensan que se pueden salir con la suya. Si tú te mantienes calmado, tranquilo y sosegado; y estas presente con lo que tú percibes, tú sabrás que va a tratar de engañarte, estarás consciente durante toda la conversación y no dejarás que eso pase.

Cuando dices ~ *Oh, él es realmente una buena persona* ~ estas muerto. Cuando dices ~ *Le voy a dar que pruebe de su propia medicina* ~ Te conseguiste una pelea. *Cuando estas en conflicto con alguien, la energía se estanca en ese lugar.* Tu no querrás tener energía estancada en ningún lugar —querrás que fluya. Para permitir que eso pase, tienes que estar en *Permisión*. Tú eres la Roca en el rio, y la corriente fluye alrededor tuyo. Lo que sea que esa persona difícil este haciendo, es sólo un Interesante Punto de Vista, y cuando todo es sólo, un Interesante Punto de Vista, tu eres la Roca en el rio, y la corriente — o la energía — continúa fluyendo.

JALA DIRECTAMENTE DE SUS PIES

Cuando yo comencé a enseñar, yo solía decir ~ *Cuando las personas están mandando energía hacia ti, tú tienes que estar dispuesto a jalar la energía de ellos, hasta que ellos desistan.*

Un día pensé ~ "Yo odio a los vendedores, especialmente cuando llaman a la hora de almuerzo. ¿Me pregunto qué pasaría si yo jalaría energía de ellos?" A las seis en punto, todas las tardes el teléfono comenzaba a sonar, y siempre, era un vendedor que querían venderme algo. Yo decidí cambiar las cosas.

Una tarde el teléfono sonó y yo dije ~ *Ok! Este es un vendedor. Yo sé que es un vendedor.*

Tome el teléfono y dije:
~ "Hola" y si, era un vendedor.
El comenzó con su perorata, y yo comencé a jalar energía de él.
~ Le dije, "Eso es realmente genial. Yo estuve buscando algo así. ¿Puedes mandarme dos de esos?

Me dijo ~ "Uh, sí señor. ¿Puede darme el número de su tarjeta de crédito?"
Le dije ~ "Claro no hay problema "y yo seguía jalando energía de él como loco.

El anoto el número de mi tarjeta de crédito y dijo ~ "¿Esta seguro que usted quiere esto, señor?"
Yo le dije ~ Por supuesto. Esto es exactamente lo que he estado buscando."
Yo podía sentir que él pensaba ~ Esto no es computable, no es computable, no es computable.
Colgó. No pasaron ni cinco minutos y recibí otra llamada. ~ ¿"Sr. Douglas?" Soy el supervisor de tal persona… Yo seguí jalando energía como loco, jalando energía con cada poro de mi Cuerpo y Ser.

Me pregunto ~ ¿Ha ordenado usted esto?
Le dije ~ Si, señor, Lo hice y estoy muy feliz de tenerlo."
Me dijo ~ "Muchas gracias Señor Douglas."

Las Personas que Hacen Ventas Necesitan de una Barrera

Yo nunca recibí el ítem, y nunca me cobraron por eso. ¿Por qué? Porque las personas que están en ventas, necesitan derribar una barrera. Ellos saben que tú tienes una barrera, y que si ellos pueden derribarla, ellos harán la venta. Pero si tú no pones una barrera y jalas energía de ellos, ellos pensarán que algo está mal — ya sea que tú estás loco, o eres un mentiroso, o tienes la tarjeta de crédito de otra persona. Algo anda mal, si no tienes una barrera y no estas resistiéndote y reaccionando.

Yo puedo ver a los vendedores cuando se acercan a mi puerta principal a través de la ventana de mi casa; y cuando los veo, comienzo a jalar energía de ellos, porque sé que ellos intentarán romper mis barreras. Ellos caminan hasta la casa por el sendero de cemento, pero como yo ya estoy jalando energía, muchos por poco se caen antes de llegar a la casa.

Cuando les abro la puerta, les digo…

- "Hola "¿Cómo te va? "Y jalo energía.
Ellos me dicen - "Hola, estoy vendiendo esto pero no es tan bueno y en realidad no lo va a querer"
Yo sigo jalando energía, y les digo - No importa, Adiós."
Ellos no tiene idea de porque me dicen esas cosas a mí.

Un vendedor de autos te dirá - "Yo tengo un camión excelente y es muy manejable." Si le jalas energía él te dirá - Y la transmisión esta por caerse y realmente no vale esta cantidad de dinero. "¡No puedo creer que yo haya dicho eso!" Lo hacen todo el tiempo. Tú sólo tienes que jalar energía como loco cuando ellos están presionándote o mandando energía hacia ti.

Si jalas masivamente energía de alguien que está presionando o empujando energía hacia ti, ellos te dirán todas las razones por las qué no debes comprar su producto. Esto también funciona con personas religiosas que llegan a tú puerta. Si les permites pasar, y simplemente jalas energía de ellos como loco, se irán.

Algunas personas religiosas llegaban a mi casa y como yo ya sabía lo que ellos eran, en cuanto les abría la puerta, jalaba energía como loco y les decía - Hola, ¿Come les va?

Y ellos decían - "Hola, estamos aquí en el nombre de Dios," o lo que sea.
Yo les decía - Genial, Yo estaré encantado de oír a todo lo que ustedes tengas que decir. ¿Les importaría si canalizo para ustedes?"

Se iban de ahí a la velocidad de la luz, y mi casa estaba en la lista de las casas que debían evitar. Nunca más volvían.

¿Cómo Jalas la Energía?

¿Cómo jalas energía? Tú simplemente le pides a la energía que jale. Alguien me dijo recientemente como funciono esto para ella con un policía. La paro por ir a alta velocidad y ella comenzó a jalar energía. En lugar de darle un ticket, el policía le dijo, "No lo hagas de nuevo". Puedes usar esto en todo tipo de lugares. Mientras estés jalando energía de alguien, la persona en cuestión no puede comportarse agresivamente. La agresión termina cuando tú jalas energía.

Una de las cosas que tú puedes hacer para practicar esto, es ir a una Cafetería, o a algún lugar donde haya muchísima gente. Simplemente te paras a un lado en la puerta y jalas energía de todas las personas que estén en el lugar hasta que ellos se den la vuelta y te miren.

Tu solo le pides a la energía que jale. - *Ok! Yo voy a jalar energía de todos en este sitio hasta que todos se den la vuelta y me miren.*

Las personas se darán la vuelta, te miraran, y pensarás - ¡Genial! Es todo lo que se necesita. No es trabajoso. No se necesita hacer fuerza. Es fácil.

¿CÓMO OBTIENES EL DINERO QUE TE DEBEN?

Algunas veces la gente me pregunta, "¿Cómo obtengo el dinero que me deben?" Si alguien te debe dinero, lo que tienes que hacer es jalar energía con todos los poro de tu Cuerpo y Ser, hasta que tú sientas que tú corazón se abre. Cuando eso pase, estarás conectado con ellos. Entonces, tú mandas pequeños cordones de vuelta a ellos. Sigue haciéndolo cada día, veinticuatro horas al día. Ellos no podrán sacarte de sus cabezas hasta que te paguen.

Haz esto sin tener un interés preconcebido en el resultado. Decidí que vas a mantener esta conexión con ellos y que tú vas a seguir dejando que el flujo de energía llegue hacia ti, hasta que el dinero que te deben, llegue con ese flujo.

¿Cómo Funciona?

Cuando alguien te debe dinero, levantan una barrera. Si tú jalas energía de ellos y dejas que pequeños cordones vayan de vuelta hacia ellos, ellos no podrán dejar de pensar en ti. Mientras más piensan en ti, más culpables se sienten. Mientras más culpable se sienten, más seguridad hay de que te paguen.

¿Estas tratando de recibir dinero de alguien que ha muerto? Haz lo mismo. El llegara a ti en otro cuerpo y te dará algún tipo de dinero y tú te preguntarás ~ ¿Por qué este tipo está dándome dinero? Él se murió, logro tener un nuevo cuerpo y ha vuelto. Tú eres un ser infinito, ¿Verdad? ¿Crees tú, que es únicamente una vida la que cuenta?

Has tenido alguna vez la experiencia de que alguien llegue y gaste un montón de dinero en ti o compre un montón de cosas tuyas o que te de un trabajo o una suma grande de dinero ¿y tú, no tienes idea del por qué lo está haciendo? No tienen una conexión real contigo ¿y llegan y te dan una gran suma de dinero que en realidad no te la ganaste? ¿Ellos llegaron soltaron su dinero y salieron de tu vida? Si eso te ha pasado, es porque esa persona te debía de otra vida.

5

DAR Y RECIBIR

APRENDER A RECIBIR ES LO MÁS GRANDIOSO QUE TÚ PUEDES HACER

Hemos trabajado con muchas personas en relación a sus temas sobre el dinero. Hemos trabajado con personas que tenían 10.00 $USD en sus bolsillos, y con personas que tenían 10 millones. Lo interesante es que todos ellos tenían el mismo tema —y no tiene para nada que ver con el dinero. Tiene que ver con lo que estás dispuesto a recibir.

Aprender a recibir es lo más grandioso que puedes hacer. La limitación del dinero, la limitación en el sexo, la limitación en las relaciones, la limitación de absolutamente cualquier cosa en tú vida, se basa en lo que tú, no estás dispuesto a recibir. Lo que tú, no estás dispuesto a recibir, crea la limitación de lo que tú puedes tener.

LOS JUICIOS LIMITAN TU CAPACIDAD DE RECIBIR

Cada vez que tienes juicios sobre cualquier cosa, ya sea que este sea un juicio positivo o un juicio negativo —o cualquier grado de juicio — tú cortas tu capacidad de recibir, más allá de ese juicio. Cada juicio que tú haces te impide recibir cualquier cosa que no coincida con él, así que incluso un juicio positivo como - *Esta persona es perfecta,* te impide ver cuando ellos no son perfectos. Si tú decidiste que te casaste con la persona perfecta, ¿estarías dispuesto a ver cuando ella no es perfecta? ¿Podrías ver si ella, te estaría engañando?

Cualquier cosa que no estemos dispuestos a recibir, está basado en nuestros juicios. ¿Necesitas vivir con juicios? No. De hecho necesitas vivir sin juicios. Si tú vives desde un espacio de no juicios, podrás recibir el universo entero. Podrás tener todo lo que siempre quisiste. Cuando no tienes juicios, no hay nada que tú no puedas recibir.

Trabaje con un hombre que tenía una tienda con ropa de hombres en una sección para gays de la ciudad. Él estaba teniendo problemas con su negocio, y me pregunto si yo le podía ayudar a aclarar cuál era el problema. Examinamos todo, y todo parecía bastante bien, yo pensé - ¿Qué es lo que está impidiendo que él sea exitoso?

Le dije - "Entonces, cuéntame sobre tus clientes."
Me dijo - "Oh, pues son bastante buenas personas, a excepción de esos tipos."

Le dije ~ "¿Esos tipos?" "¿Quiénes son esos tipos?"

Me dijo ~ "Oh, ya sabes, esas reinas bamboleantes que entran. Odio cuando entran y me coquetean.

Le dije ~ "¿Tu tienda está en un área de la ciudad que es de gays, verdad?

Dijo ~ Si

Le dije ~ "¿Sabes qué? Tú cometiste un error aquí porque a ti, no te gusta recibir la energía de tus clientes. Ellos no te van a dar su dinero por nada, si tú no estás dispuesto a recibir su energía.

Me dijo ~ "¿Qué quieres decir?

Le dije ~ "Tú tienes que estar dispuesto a recibir su energía si tú quieres obtener su dinero. Tú vas a tener que aprender a chancearte y coquetear con ellos."

El dije ~ "¡Yo nunca podría hacer eso!" ¡Yo no quiero tener sexo con ningún hombre!"

Dije ~ "Yo no dije que tú tuvieras que tener sexo con ellos. Yo digo que tú tienes que coquetear con ellos. ¿Tú coquetearías con una mujer, verdad?

Me dijo ~ "Cuando mi mujer no está cerca."

Le dije ~ "Entonces, simplemente coquetea con un hombre. Eso no significa que tú tengas que copular con él. Sólo significa que estás dispuesto a recibir la energía que él te está dando y entonces tú podrás obtener su dinero."

Así que él aprendió a disfrutar de sus clientes y a bambolearse y a coquetear con ellos. Aprendió a pasarla bien con ellos y comenzó a hacer un montón de dinero. Él tenía un juicio sobre recibir energía de esos clientes, lo que creo una limitación en lo que él podía recibir financieramente.

Lo mismo es verdad para ti. Lo que tú *no* estás dispuesto a recibir energéticamente se convierte en una limitación desde la que no puedes crear dinero.

¿QUÉ ES LO QUE TU ABSOLUTAMENTE, NO ESTAS DISPUESTO A RECIBIR?

Te vamos a hacer una pregunta y nos gustaría que tu escribas lo primero que salte a tu cabeza — dilo fuerte, especialmente si eso no tiene ningún sentido para ti. El propósito de esta pregunta es la de desbloquear lo que tú no estás dispuesto a recibir. Lo que tú no estás dispuesto a recibir, crea la limitación de lo que podemos crear en nuestras vidas.

Aquí va la pregunta: ¿Qué es eso que te rehúsas absolutamente a recibir, que si estarías dispuesto a hacerlo, se manifestaría como total abundancia?

Nosotros hicimos esta pregunta a un grupo de personas. Estas son algunas de las respuestas que nos dieron. ¿Sera que alguna de estas aplica para ti?

Gente a la que no le gusto
Juicios
Salud
Amor
Sexo
A mí mismo
Intimidad

¿Qué es lo que absolutamente no estás dispuesto a recibir, que si lo recibieras se manifestaría como total abundancia?

Responsabilidad
Mi grandiosidad
Éxito
Algo que me pueda hacer esclava
Ser raro y diferente
Sentirme bien por divertirme en mi vida

¿Qué es lo que tú, absolutamente no estás dispuesto a recibir, que si estuvieras dispuesto a hacerlo, se manifestaría como total abundancia? ¿Qué fue lo que viste ahora? ¿Será que tu respuesta tiene alguno de estos ítems?

Dinero fácil

Estar abrumado

El preocuparte

Estar equivocado

La habilidad de crear

Ayuda

Que te den un sopapo

Tener Gozo

Tomar Riesgos

Muy interesante, ¿no es así? Las cosas que tú, no estás dispuesto a recibir, limitan lo que tú puedes tener en tú vida. Debido a que tú no estás dispuesto a recibir esas cosas, tú no puedes tener abundancia. Todos tienen casi los mismos temas. Tú falta de disponibilidad a recibir; lo que sea, que eso sea para ti, limita el montón de dinero que tú puedes tener. Te limita lo que tú puedes tener respecto a todo. Es lo que *no* estamos dispuestos a recibir lo que crea el problema. ¿Y si estuvieras dispuesto a recibir cualquier cosa y todo?

¿Qué energía has decidido tu que no puedes recibir? ¿Qué juicio tienes que te impide recibir ilimitadamente? A medida que ibas leyendo estas preguntas, con seguridad algo te vino a la cabeza. Esa sería una respuesta desde — adivina desde donde —desde tú *mente loca*, porque es ahí, donde se crean todas tus limitaciones y las justifica. Tú mente lógica coge estas limitaciones dementes y las justifica. Eso provee las decisiones y juicios, que mantienen las limitaciones en existencia.

Así que, ¿Que energía estás tú negándote a recibir?

Yo No Jodo con Mujeres Casadas

Hace años, cuando yo tenía treinta años, entrenaba caballos. En ese tiempo, yo estaba planeando ir a Europa por seis meses y conocí a una mujer que vivía en Montecito, que es el barrio de súper lujo de Santa Bárbara. Ella tenía algunos caballos y quería que yo los monte, así que fui y monte sus caballos. Ella pensaba que yo era muy guapo, así que me chequeaba y coqueteaba conmigo. Mi reacción a eso fue un juicio - *Yo no jodo con mujeres casadas*. Ella estaba casada con un abogado y yo pensé que lo último que yo haría es involucrarme en algo así. Yo, podía meterme en problemas.

Así que, me fui a Europa por seis meses. Cuando volví, ella comenzó a llamarme, y basándome en mi juicio inicial, yo simplemente la ignore, e ignore, y no quise tener nada que ver con ella.

Dos meses más tarde me entere de que ella se había casado con un tipo que se parecía tanto a mí que podía haber sido mi hermano. Yo asumí que ella estaba casada — pero la realidad fue que ella se había divorciado de su marido mientras yo estaba en Europa. Nadie me lo había dicho.

Seis meses después de su matrimonio; ella murió de una hemorragia cerebral, y le dejo a su nuevo marido, 67'$USD millones de dólares. ¿Crees que mis juicios, tuvieron algún efecto en mi vida? ¿Qué juicios tienes tú que pueden ser los que estén causando el mismo efecto de detrimento en tu vida?

FUERA DE CONTROL vs. DES-CONTROL

Tendemos a controlarnos a nosotros mismos con las limitaciones que creamos. Creamos control alrededor de nosotros mismos sobre lo que *vamos* a recibir; sobre lo que *no* vamos a recibir, sobre lo que *es posible*, o lo que *no es posible*, en el *cómo* pensamos nosotros que se debe ver, y en *cómo queremos* nosotros que se vea. Pensamos que esto nos da, a nosotros, el control. Tienes que llegar al punto en el que estés dispuesto a estar totalmente fuera de control.

No estoy hablando sobre estar fuera de control en el sentido de emborracharte y ser desordenado, tampoco estoy hablando sobre acelerar a 8.000 millas por hora en una autopista. No estoy hablando sobre andar desnudo en público o ese tipo de cosas. Eso es estar des-controlado. Lo que tú querrás, es llegar a estar fuera de control.

Tendemos a pasar mucho de nuestro tiempo, sentados sobre juicios, tratando de imaginarnos como nos controlarnos a nosotros mismos de tal manera que nos podamos llevar bien con el mundo. Cuando estamos fuera de control… entonces, estamos dispuestos a existir afuera del encajonamiento normal y los puntos normales de referencia. El estar fuera de control no es estar des-controlado y no es emborracharse y ser desordenado. Se trata de no dejar que el control de los Puntos de Vista de otras personas; las realidades, juicios y decisiones de otras personas, sean los factores de control de nuestras vidas. *El estar fuera de control es quitar esas cosas; en las que tú, das parte de tú vida a otros, y los haces más poderosos que tú. El estar fuera de control es ya no ser el efecto, sino ser la fuente.*

Quieres estar fuera de control porque tú ya definiste tú vida. Tienes la caja de tu vida definida y confinada. Ya has creado el ataúd que llamas tu vida.

Tú piensas, que estás vivo, pero estas viviendo dentro de un ataúd. Si tú, rompieras esos confinamientos, podrías comenzar a crear desde la sensación de estar fuera de control.

Una vez que estás dispuesto a estar fuera de control, tú estás dispuesto a estar fuera del confinamiento desde el que tú has creado tú vida. Ya no mirarás tus experiencias pasadas como la fuente desde donde vas a crear en el futuro. Comenzaras a vivir en el momento. *En lugar de tratar de tener respuestas basadas en tus limitados Puntos de Vista, tú empoderas al universo para que te dé una respuesta.*

TOMA Y DACA[6] vs. REGALANDO Y RECIBIENDO

Este mundo casi siempre se basa en la práctica de *dar-y-tomar*. Ese es el Punto de Vista que dice ~ Yo te doy esto, tú me das eso. Es una modalidad de intercambio en la que estamos estancados. Si yo te doy sexo oral, entonces tú te sientes obligado a darme sexo oral. Es un intercambio. Yo hago esto, ahora tú tienes que hacer esto.

Al regalar, por el contrario, no sucede un intercambio separado. Tú das sin la expectativa de la retribución, y como resultado tú recibes simultáneamente, sin límite. El regalar es el recibir, y el recibir es el regalar, todo al mismo tiempo. Al regalar y recibir, tú tienes los elementos que te permiten tener, en verdad una sensación de comunión con todas las cosas.

Cuando vas afuera a la naturaleza, por ejemplo, ¿Sera que ella te regala? ¿Espera ella que le devuelvas algo?

---

6   En español existe la expresión de Toma y Daca (o Daca y Toma), adjunto la definición del diccionario. Daca. ~ (Contracción de dar /imperativo de dar, y el adverbio acá). Da, o dame, acá. // andar al Daca y toma es andar en dares y tomares.

La naturaleza te da todo lo que ella tiene todo el tiempo, y simultáneamente recibe de todo. Los árboles frutales crean frutos y te los regalan en totalidad. ¿Se guardan ellos alguno?

Si tienes un plantío lleno de bellas flores, ellas te regalan y brindan su fragancia, su belleza y no te piden nada a cambio. Lo que ellas reciben de ti es la energía que tú les das y la gratitud que tú tienes por su belleza.

En lugar de regalar y recibir, la mayoría de nosotros vivimos en el mundo del ~ Toma y Daca. Decimos ~ "Yo te voy a dar esto, pero yo espero que me devuelvas con esto." Damos un regalo con la idea de que vamos a recibir algo a cambio. ¿Cuantas veces, cuando tu das algo, tú sabes, que quien te lo dio, está esperando que tú le hagas, le des, contribuyas o funciones de alguna manera para ellos? ¿La mayoría de las veces? Eso es correcto.

Si te doy esto, entonces tú tienes que darme esto.

Ese es él toma y daca.

Cuando vives en el mundo del ~ Toma y Daca, tú eliminas el regalo. Este es un terrible error, porque cuando regalas a alguien, cuando en verdad regalas a alguien, simultáneamente recibes abundantemente, más allá de cualquier cosa que tú te puedas imaginar. Si en verdad regalas sin expectativa, entonces tú recibes abundantemente en todos los aspectos. Pero la mayoría de las veces en este planeta, nosotros damos únicamente cuando estamos obligados a hacerlo. Lo que se da en el trabajo es la realidad del intercambio del ~ Toma y Daca, no abundancia.

¿Cómo sería tú mundo, si tú tuvieras la generosidad de espíritu que te permitiera dar sin nunca tener que devolver nada? ¿No sería eso maravilloso? ¿Por qué no permites que eso pase en tú vida? ¿Tal vez sea porque no esperas que las personas reciban lo que tú les das?— Y no lo hacen.

Las Personas Que No Pueden Recibir

Las personas que no pueden recibir lo que les das, te devuelven el regalo con un par de dagas adheridas. Tienen que mostrarte lo mucho que no les gusto, porque, no estaban dispuestos a recibir en primer lugar.

Una mujer me conto lo siguiente sobre su papá. Ella trato de decirle cuanto se preocupaba por él y él le respondió - Si, si querida, Ok! - El no pudo recibir eso. Cuando tú tratas de darle a alguien, algo que él no puede recibir, lo que tú le estas diciendo, o lo que tú le estas regalando, ellos siempre lo van a rechazar. ¿Por qué pasa eso? Ellos no piensan que el recibir este bien.

Las Personas Que Dan Mucho

Algunas personas dan, dan y dan, pensando que los otros van a estar felices con ellos por lo mucho que dan. ¿Es eso regalar? No, porque están esperando que se les devuelva. ¿Funciona? ¿Será que la otra persona es feliz con ellos? No. Usualmente ellos dicen - *Oh, Yo tomare más de eso —y más de eso — y... ¿qué más tienes? Yo tomare eso también.*

¿Has estado alguna vez en la rutina de dar demasiado? ¿Les das demasiado a tus hijos? ¿Están ellos agradecidos por lo que tú les das? Con mis hijos, al parecer mientras más les doy, más toman. Los hijos, como mi amiga Mary dice, te pueden quitar hasta tu último aliento y nunca te agradecerán. Ellos esperan que tú les des, todo el tiempo, y siempre quitan. Ellos no consideran que lo que tú les das sea un regalo; ellos piensan que cualquier cosa que das es un derecho de ellos.

Cada vez que le das a alguien, que se cree en el *derecho* de recibir, o que piensa que tú *deberías* darle porque tú tienes el dinero, o porque puedes — eso no queda claro y no habrá gozo real al hacer el regalo o en el que lo recibe. Si tienes un amigo que no tiene mucho, tú, podrás querer regalarle a él con el fin de ayudarlo, y luego casi de inmediato, verás que le estarás dando todo el tiempo, y nunca se terminará. Eso es lo que sucede cuando estas en el programa de ~ Toma y Daca. ¿Es posible, al hacer todo ese ~ dar ~ que tú realmente pienses que no tienes que recibir? ¿Es posible que tú sientas que tú siempre tienes que dar, y nunca recibir?

Algunas personas dan a otros con el fin de que se sientan menos. Conocimos a una mujer que todo el tiempo estaba dando regalos sumamente caros a otras personas. Una de sus amigas que se sentía incomoda por eso, me dijo, "Yo no puedo retribuirle con nada a ella, porque no puedo igualar la cantidad de dinero que ella ha gastado en mí." Hablamos de esto un rato, y ella se dio cuenta de que la forma de dar de su amiga, era la manera en que ella alejaba a las personas, de modo que incluso aunque ellos recibieran más, ellos se sentirán menos.

Toma-y-Daca y, Regalar y Recibir ocurren en las relaciones de todo tipo. Si estás en una relación en la que tú piensas que tú tienes que dar el 150 por ciento, usualmente terminas con alguien que está dispuesto a quitarte el 150 por ciento.

No logras estar con alguien que de lo mismo que tú das. Pero cuando tú, en verdad estás regalando y recibiendo, la persona como resultado de eso, te regala y recibe simultáneamente. Tú les regalas y recibes simultáneamente.

¿Estás Viviendo en el mundo del Libro Mayor y el Balance del Toma y Daca?

A menudo, cuando las personas han tenido restricción de tener cosas, desarrollan el Punto de Vista que dice ~ *Esto es mío, y yo sé cuánto tengo, y será mejor que tú no intentes quitarme ni una sola de mis cosas, ¡carajo!*

Esas personas viven en el mundo del Libro Mayor y Balance del Toma y Daca. ¿Conoces personas que tienen que mantener las cuantas balanceadas? Ellas dicen cosas como ~ "La factura es 37.50 $USD. Si la dividimos, eso significa 18.75 para cada uno. ¡Bueno me debes 18.75 $USD!" O esa es mi comida. ¡No te comas mis aguacates!" El resultado final de este tipo de pensamiento es que ellos no tienen abundancia. No puedes vivir en el mundo del Libro Mayor y Balance, y creer en la abundancia en tú vida. ¿Qué pasaría si tú tomaras un Punto de Vista completamente diferente? ~ ¿Lo quieres? ¡Tómalo!

Cuando te deshaces de la idea de que, tienes que tener tu parte, puedes experimentar la abundancia del universo. ¿Si eres totalmente abundante, te importaría si tu compañero de cuarto se termina el aguacate que tú piensas es tuyo? Si eres un ser ilimitado con recursos ilimitados, con posibilidades ilimitadas, ¿Cómo podría alguien quitarte algo, alguna vez? Y en verdad. ¿Puedes en realidad regalar en demasía?

El Universo es Infinitamente Abundante

Una de las formas en las que yo cambien mi propio Punto de Vista sobre el ~ Regalar y Recibir fue practicando regalar sin expectativa. Un amigo mío y yo fuimos a un restaurant un día. Yo ordene una taza de café y un Donut, y mi amigo ordeno una taza de té. Nuestra mesera tenía algo de cuarenta y cinco años. Primero ella le trajo a mi amigo una cuchara, luego volvió y me trajo a mí una cuchara.

Luego me trajo a mí la taza de café. Luego ella volvió con él te, la crema y el Donut.

Le pregunte ~ "¿Estas teniendo un mal día?"
Sus ojos se le llenaron de lágrimas y me dijo ~ "Yo no he trabajado antes. Este es el primer trabajo que jamás haya tenido. Yo no sé cómo hacer esto. Estoy abrumada.
Le dije ~ "No te preocupes, ya mejorara. Te vas a acostumbrar a esto."
Ella me dijo ~ "Gracias, eso es muy amable."
Nos trajo la cuenta que era de 5.12 $USD yo le deje 10.12 $USD.
Cuando estábamos saliendo por la puerta, ella vino corriendo detrás de nosotros, "¡Señor, señor ~ me dijo, Usted me dio más dinero!"
Le dije ~ "No lo hice. Esa es tú propina. Es para que sepas que lo estás haciendo bien." Sonrió de oreja a oreja y su universo se ilumino.

En otra ocasión, yo estaba caminando por New York de ida a mi almuerzo, y había por ahí un joven sentado en la acera con una gran herida en su pierna y una lata de conserva delante de él. Nadie había dejado dinero en ella. Al volver de mi almuerzo, sin mirarlo a él, le puse un billete de 20.00 $USD en la lata, y él me dijo ~ Gracias Señor, ¡Oh, Dios Mío! ¡Dios lo Bendiga! ¡Bendiciones! ¡Gracias! Yo podía ver la energía irradiando de él porque alguien pudo ver, reconocer y regalarle a él sin ninguna expectativa. No fue un cuarto, no fue un níquel —tampoco hubo un ~ Tu eres un zángano — sino lo suficiente como para que él pueda pagarse una buena comida.

Si tú haces ese tipo de cosas, tú rompes con la idea de que no hay abundancia en el universo. Tienes que hacerlo. Tienes que hacer que suceda.

Cuando yo me estaba trasladando de casa, después de mi divorcio, yo tenía un montón de antigüedades que yo iba a vender;

pero en vez de hacer eso, se las di a un amigo, a un vendedor de antigüedades que tenía más dinero del que yo tenía. Yo le di todas mis antigüedades, y eso lo confundió demasiado. Él no podía entender porque yo le estaba regalando todo eso a él, ya que él tenía más de lo que yo tenía. Su Punto de Vista era, tú tienes que darle a alguien que tiene menos que tú. Ese es uno de los conceptos que tú, tienes que superar.

Cuando las personas que tiene muchísimo dinero salen con personas que tienen menos; los con menos dinero, usualmente esperan que los que tienen más, paguen. Cuando yo voy a comer con gente que tienen mucho dinero, yo siempre insisto en pagar. Ellos no saben qué hacer, en ese momento. A partir de ahí, yo ya no soy menos que ellos. Tú puedes jugar con eso también. Coge la cuenta de vez en cuando. Mira lo que sucede.

El propósito de la vida es divertirte, y tal vez el propósito del dinero es quebrar el paradigma de las personas. Lo que tú en verdad estás haciendo, sin embargo, es vivir desde la idea de que el universo es interminablemente abundante y cuando funcionas desde ahí, todo en la vida se pone mejor.

¿HUMANO O HUMANOIDE?
¿QUE ERES TÚ?

Una de las cosas más inesperadas que descubrimos en nuestro trabajo con Access fue el tomar consciencia de que al parecer hay dos especies de seres en el planeta Tierra, los humanos y los humanoides.

Los humanos viven juzgando a todos los demás y piensan que la vida es simplemente de la manera que es, y que nada está bien, nunca, ellos ni siquiera se molestan en pensar en otra posibilidad.

Los humanoides, buscan maneras de hacer que las cosas sean mejores. Si tú inventas cosas, si tú buscas cosas, si tú siempre estás buscando una mejor y más grandiosa forma de crear algo, tú eres un humanoide, no un humano. Los humanoides son las personas que crean el cambio. Ellos crean los inventos, la música, y la poesía. Ellos crean todos los cambios que surgen de la falta de satisfacción con el estatus quo.

"Bueno, Si tan solo tuvieras una TV..."

Para los Humanoides, es un gran alivio saber que siempre somos juzgados y que nunca encajamos. Lo intentamos arduamente, pero no podemos encajar en el molde humano. La mayoría de nosotros buscamos desesperadamente el entender y encajar en la realidad humana del dinero — y en todo lo demás. Las personas nos dicen, "Bueno, tan sólo cómprate una televisión, un auto nuevo y un trabajo normal, y estarás bien."

La idea de sacar a flote las diferencias entre los Humanos y Humanoides no es para comenzar a juzgar a los humanos. Sino para comenzar a estar conscientes de, cómo los humaniodes nos juzgamos a nosotros mismos.

Los Humanoides se Juzgan a Sí Mismos.

Una de las cosas más importantes que tenemos que saber sobre los Humanoides, es que ellos funcionan desde el juicio de sí mismos. Los Humanoides piensan que hay algo malo con ellos mismos porque no son igual a todos los demás que los rodean. Ellos se preguntan a sí mismos - *"¿Qué es lo que está mal conmigo que yo no logro hacer lo correcto? ¿Por qué no puedo yo ser como esta persona?*

¿Por qué no puedo yo conformarme con menos? ¿Qué es lo que está mal conmigo? Ellos tienen una cantidad inmensa de juicios sobre sí mismos. Se preguntan por qué no pueden lograr lo que todos los demás logran y porque no pueden hacer lo que todos los demás hacen.

Cuando alguien le miente a un humanoide, o le hacen algo malo a ellos, los humanoides lo tuercen (o dan la vuelta) y buscan, que es lo que *ellos* han hecho mal. Ellos se ponen a sí mismos como los equivocados. Ellos se ponen a sí mismos como los equivocados y a le dan a los demás la razón. Un amigo mío, humaniode, tuvo una relación de negocios con un socio suyo durante mucho tiempo, y un día se puso a hablar de cómo su negocio, al parecer, no estaba generando ningún dinero.

Le dije – "Hay algo malo aquí. Sería mejor que tú veas los libros. Yo creo que tú socio te está engañando."
Me dijo – "Oh, él nunca me engañaría."
Le dije – "Puedes ver eso en los libros."

El decidió darle una mirada a los libros, y cuando su socio supo lo que él estaba haciendo, se puso realmente molesto y le hizo una serie de acusaciones. La respuesta de mi amigo fue la de juzgarse horrendamente por haber sido tan desleal como para cuestionar a su socio.

Un mes después mi socio se enteró de que su socio lo había engañado.

La reacción de mi amigo humaniode al descubrir que su socio lo estaba engañando fue la de juzgarse muchísimo, mientras que la reacción de su amigo fue la de decirle – "Todo es tu culpa. Si no fueras un socio tan nefasto, nada de esto hubiera pasado."

Esto Es Todo lo Que Hay

Los Humanos no tienen la menor idea de que ellos son Seres Infinitos con Infinitas Posibilidades. Ellos no creen en la reencarnación. Ellos creen que esto es todo lo que hay. Ellos dicen cosas como ~ "Vives, mueres y te conviertes en comida para gusanos."

Yo hablé con mi padrastro, quién era definitivamente muy humano, luego de que el tuviera un ataque al corazón. Le dije ~ "Papá, ¿cómo fue para ti, tener este ataque al corazón?" Nadie le había hecho esa pregunta a él.

Me dijo ~ "Bueno, me acuerdo haber tenido el ataque al corazón y estar parado fuera de mi cuerpo, mirándolo..."
Se detuvo y luego siguió diciendo ~ "Bueno, yo tuve el ataque al corazón y luego los vi poniéndome los electrodos en mi pecho..."
de nuevo paro, pensó, espero un momento y comenzó de nuevo.

~ "Bueno, dijo finalmente, "Yo tuve el ataque al corazón y luego me pusieron los electrodos en mi pecho y me sacudieron."

Él no podía aceptar una realidad en la que él estuviera afuera de su cuerpo, mirando. Este es un gran ejemplo de lo que le pasa a la gente cuando ellos no pueden recibir lo que no encaja en el juicio que ellos tienen de la realidad. Su realidad era ~ tú eres un cuerpo y eso es todo lo que hay. Un humano nunca podrá recibir algo que no encaja en el Punto de Vista ~ ¡Esto es todo lo que hay! Los Humanos no creen en otras posibilidades. Ellos no creen en milagros o en la magia. Los doctores, los abogados y los Jefes Indios crean todo. Los humanos no crean nada.

El cuarenta y siete por ciento de la población es humanoide y ellos, son los creadores de todo lo que cambia la realidad de este planeta Tierra. El cincuenta y uno por ciento son humanos. (¿Y el 1 por ciento que queda? ¡Algún día les hablaremos de ellos! Los

Humanos se aferran a las cosas en la forma en que ya están y no quieren que nada cambie nunca. ¿Has estado alguna vez en la casa de alguien en la que no cambiaron sus muebles durante treinta años? Son Humanos.

Los Humanos viven en el mismo barrio hasta que este se va cuesta abajo, y en lugar de trasladarse, ellos ponen barrotes en sus ventanas con el fin de mantener la prisión fuera de su casa. ¿Y quiénes son los que ven a través de los barrotes? ¡Lo siento, tú eres el que acaba de ponerse a sí mismo en una prisión! Los humanos son los contratistas que arrasan con todas las plantas y árboles con el fin de remodelar una casa.

Ellos matan todo con el fin de crear. "Así no más es," dicen. "Vamos a matar todo y todo va a estar bien."

Los humanos se sientan a juzgar a los demás, porque todo en su vida se trata de juicios, decisiones, fuerza y esfuerzo. Ese es el único lugar desde el cual crean. Piensa en alguien que sabes que es humano. Siente la consciencia de él o ella. Ahora siente la consciencia de una roca. ¿Cuál es más ligero? ¿La roca? Bueno.

Hay más consciencia en una roca, así que... ¿Por qué razón salimos con humanos? Todos tenemos amigos humanos y familiares humanos, ellos se sientan a juzgarnos y nos dicen lo mal que hacemos todo lo que hacemos. Los juicios de los humanos sobre nosotros están compuesto por el hecho de que nosotros, como humanoides, tendemos a juzgarnos siempre a nosotros mismos.

Reconoce Que Tú Eres Un Humanoide

¿Qué sucede si no reclamas la totalidad de tu capacidad humanoide? Si no entiendes y reconoces que eres humanoide, tú tratarás de crear desde el Punto de Vista humano. Estarás creyendo — y crearás — a partir de una posibilidad limitada para ti. Un humano dirá ˗ "Muéstrame los Pasos," y los hará muy diligentemente, uno a uno, pero tú, como humanoide, tienes la habilidad de hacer un zoom desde la A, a la Z, y, simplemente así, hacerlo todo de una vez. Tú puedes hacer bam-bam y tener todo lo que tú deseas, pero la mayoría de nosotros no reclama esa posibilidad para sí. Nosotros tratamos de acomodarnos a la existencia humana.

Eso es un error, porque los humanos están contentos con el estatus quo y no quieren que nada cambie —y los humanoides quieren expandir y ser abundantes y creativos. Si estás interesado en la expansión, y en tener una vida que sea abundante, confortable, y creativa, deja de tratar de encajarte a ti mismo en el molde humano. Reconoce que tú eres un Humanoide —y reclama tú capacidad de unirte al rango de los ricos y famosos.

HUMANOIDES, TRABAJO Y DINERO

Los Humanoides No Trabajan por el Dinero

Una de las diferencias muy interesantes entre los humanos y los humanoides es que los humanoides no trabajan por el dinero. Cuando un humanoide crea algo, u ofrece un servicio y la otra persona en verdad lo recibe, él se siente completo. Para ellos ese es el intercambio. Ellos dicen ˗ "Wuaw, eso es genial," y están listos. Su regalo fue aceptado. Esa es la finalidad del intercambio. Su energía se completa así.

El dinero no tiene nada que ver con la capacidad creativa o con lo que motiva a un humaniode. El dinero no es la finalidad del producto. Es un resultado secundario. Es como mierda. La mayoría de los humanoides preferirán no tener que tratar con dinero o poner su atención en él, porque no tiene nada que ver con su capacidad creativa. Para ellos, la parte divertida es el trabajo o la creación. Después de crear algo, ellos miran a su alrededor y dicen ~ "¿Qué más puedo crear?" Es la creación lo que mueve la energía para ellos. Toda la energía, en el universo de un humaniode, se va a la creación.

Si eres un humaniode, y nosotros pensamos que lo eres, es importante que estés consciente de esto, porque a no ser que estés dispuesto a recibir el producto final de tú trabajo o servicio, tú no vas a recibir dinero. Tú en realidad lo vas a hacer a un lado. Frenaras el dinero que te pueda llegar. Te vas a rehusar a recogerlo y aunque te corresponda. Tú no lo pedirás.

Cuando es el momento de pedir el dinero, los humanoides dicen ~ ¿Ahm… te gustaría pagarme ahora o en otro momento? Es difícil para ellos recibir dinero por su trabajo, porque en realidad lo único que ellos quieren es que su regalo sea recibido.

Los Humanos, por el contrario, son claros: ellos trabajan por el dinero. Un contratista humano o inversionista urbano llegara a un lugar y destruirá todos los árboles y todo lo que vive en la tierra y construirá algo nuevo de cemento por el dinero que va a ganar de eso. Él puede hacerlo por dinero.

Los Humanoides se confunden porque ellos no pueden hacer las cosas por dinero, sin embargo el Punto de Vista con el que crecieron es ~ *Tú sólo haces las cosas por dinero, y si no te pagan por eso, no vale la pena hacerlo.* Tratamos de encajar en la realidad humana en relación al dinero, y esto nos causa una gran dificultad. Nosotros tenemos que entender que como humanoides nosotros tenemos una visión diferente, y tenemos que también estar dispuestos a recibir el producto final de nuestro esfuerzo. Tenemos que estar dispuestos a pedir —y recibir— dinero.

6

Celebra tu Abundancia

¿ESTAS COMPARTIENDO LA POBREZA DEL UNIVERSO, EN LUGAR DE, SU ABUNDANCIA?

Algunas personas sienten que han recibido más de lo que les correspondía en la vida y viven juzgándose a sí mismos porque tienen más que otros. A ellos les enseñaron que tenían que compartir todo con todos y que nadie puede tener más que los demás. En su familia, la tarta se cortaba en pedazos iguales, exceptuando la del Padre. El usualmente recibía una porción más grande porque él era el que ganaba el pan.

¿Es posible que tú te hayas comprado una historia similar? ¿Estás tú viviendo en una realidad de igual compensación? ¿Estás tú, compartiendo la pobreza del universo en lugar de compartir su abundancia?

Déjame preguntarte ~ ¿Qué hay de malo en compartir la abundancia del universo en lugar de compartir la pobreza? ¿Te gustaría renunciar a la pobreza como una verdad para ti? ¿Estarías tú dispuesto a compartir de la vasta abundancia del universo?

¿Has tenido vidas pasadas en las que eras obscenamente rico? ¡Si las tuviste! Y te preguntas continuamente ~ *¿Dónde diablos está el dinero en esta vida? ¡Ya debería haberse mostrado hasta ahora, maldición!*

¿Has tenido tú vidas pasadas en las que has estado en la banca rota total? Puedes apostar que sí.

¿Cuántas vidas pasadas has, únicamente sobrevivido? ¿Y continúas sobreviviendo escasamente? ¿Estás dispuesto a renunciar al Punto de Vista de sólo sobrevivir?

Ten la sensación de ~ *Oh, Dios Mío, Yo estoy escasamente sobreviviendo.* Hazla infinita. Más grande que el universo. ¿Qué sucede? ¿Se hace más substancial o se desvanece? Se desvanece, lo que significa que es una mentira. Tú como ser infinito no puedes meramente sobrevivir. Tú eres totalmente abundante.

Este universo, incluso el planeta Tierra, es un lugar increíblemente abundante. La única razón por la que hay un remiendo vacío en alguna parte es porque los humanos han sido lo suficientemente estúpidos para sacar todo de ahí. La naturaleza siempre llena cada pulgada al cuadrado con algo. ~ ¿Cuándo vas a desierto, está vacío? No. Incluso en el desierto hay vida por todo lado. Hay plantas, bichos y criaturas de todo tipo. Cada pulgada está cubierta con algo.

¿Cómo puedes vivir como no abundante? Lo haces al comprarte la idea de que hay escases. Adoptas el Punto de Vista de que no hay abundancia porque tú no eres capaz de entender de donde va a llegar. Tú no ves que la abundancia ya está a tú alrededor.

Pensamos ~ *Oh, en el futuro yo voy a tener dinero, o en el pasado yo solía tener dinero.* Pero no vemos que somos totalmente abundantes ahora.

¿Estás Tú Abrazando la Idea de que El Dinero, Puede Estar Aquí y Ahora Mismo?

Ahora mismo, cierra tus ojos y visualiza dinero llegando hacía ti. ¿Está llegando por atrás? ¿Por el frente? ¿Por la derecha? ¿Por la izquierda? ¿Por arriba? o ¿Por abajo? Si tú ves que el dinero llega a ti por el frente, tienes la idea de que lo vas a tener en el futuro. ¿Pero cuando llega el futuro? Nunca. Si siempre estas mirando el dinero afuera y frente de ti. Estas como el burro con una zanahoria colgando de una pita adelante de su cara. Siempre será un evento futuro, algo que tienes que alcanzar.

Si ves que el dinero llega a ti por la derecha, entonces tú Punto de Vista es que tienes que trabajar duro para tenerlo. Si llega por la izquierda, es que va a llegar como una caridad. Alguien te lo va a dar, como caridad, para que tú seas rico.

¿Lo viste llegar por atrás? Eso significa que solías tener pero que no lo vas a tener. ¿Lo has visto venir desde el suelo? Entonces es mejor que te compres una granja porque es de ahí de donde tú piensas, que te va a llegar. Va a crecer debajo de tus pies. O puedes convertirte en un minero de ópalos y encontrarlo por abajo de todos modos.

¿Cómo Sería Si Dejaras Que El Dinero Llegue A Ti De Todo Lado?

¿Cómo sería si dejarás que el dinero llegue a ti de todo lado, todo el tiempo, y de todas las direcciones? Ten esa sensación ahora. Ahora has que esa sensación sea más grande que el universo. ¿Se hace más substancial o menos? Mantén esa sensación y tendrás dinero mañana.

La idea de la visualización, es para que tengas una idea clara de donde te llega el dinero. Si tienes la idea de que te va a llegar desde el futuro, no estás abrazando la idea de que el dinero pueda estar aquí ahora. Si tú lo ves en el futuro ~ mañana, mañana, mañana; entonces ¿Cuándo se pagan las facturas de hoy? Mañana o ayer, o no se las paga nunca. Esto te mantiene en un ciclo de ajetreo para hacerte cargo de las cosas en lugar de estar presente, con lo que está disponible para ti.

Si estuvieras verdaderamente consciente; si tú, estuvieras en comunión con todas las cosas, si estuvieras siendo el humanoide que en verdad eres, y si estuvieras funcionando desde la estética del tiempo, espacio, dimensiones y realidades en las que, ningún juicio puede existir, el dinero simplemente sería una parte de la vida en vez de ser la finalidad.

Adivina ¿De Que Se Trata Tener Dinero?

La mayoría de las personas hacen del dinero una meta o hacen de él una necesidad. Dicen cosas como

~ *Si tan sólo tuviera* _____ *o*

~ *Si simplemente tuviera* _____ *o*

~ *El Dinero me hará* _____.

Nada de eso es real. Esas son ideas con las que hemos sustituido el permitirnos tener todo en nuestras vidas. En realidad, cuando haces eso, estas convirtiendo al dinero en algo que es terriblemente significante en vez de verlo como una flor que florece en tu jardín. Si pasarás el mismo tiempo, dándole cariño, alimentando, fertilizando, regando, y cuidando al dinero, de la misma forma en que cuidas tus plantas; ¿crees que este pudiera crecer en tu vida? No estoy diciendo que plantes dinero en la tierra, aunque sí creo que crecería si piensas en esos términos.

¡Tienes que estar dispuesto a recibir dinero! Absolutamente. Tienes que estar abierto a recibir. Adivina de qué se trata todo el asunto sobre el dinero. ~ De la habilidad de recibir.

¿Y qué hay sobre la Auto-independencia?

Algunas veces me preguntan ~ ¿Y qué hay de la Auto-dependencia? Yo pregunto ~ ¿Por qué querrías Auto-dependencia? ¿No estarías tú, en vez de eso, dispuesto a recibir todo? Todo es posible cuando estás dispuesto a recibir.

La mayoría de nosotros hicimos decisiones como la de ~ *Yo tengo que depender de mí.* Lo que significa que todos estamos solos por ahí fuera. Cuando tú tienes la idea de ~ *Yo dependo de mí. Yo estoy totalmente sólo, Lo estoy haciendo por mi cuenta, Yo lo voy a hacer por mi sólo;* ¿Cuanta ayuda estas dispuesto a recibir? Ninguna. ¿Cuánta ayuda recibes? Ninguna. Estas tan ocupado proveyéndote a ti mismo, que no permitirás que otros que te ayuden a crear dinero. Lo que haces es ~ *Yo voy a probar que yo no necesito a nadie. No me importa lo que tú digas. No te necesito. Vete de aquí.*

La verdad, por supuesto, es que al dinero le gusta servirte a ti. El piensa que su trabajo es el ser tú esclavo. Tú no sabías eso, ¿O sí? El Dinero piensa que se supone que él tiene que estar en servicio. Alguien que está en servicio es tú esclavo o tú sirviente. ¿Te gustaría dejar de ser esclavo del dinero y permitir que el dinero te sirva (sea tú esclavo) a ti, a partir de ahora?

¿Y SI CELEBRARAS TU VIDA CADA DÍA?

Si tú no celebras tú vida, si tú no haces de tú vida una celebración, si tú creas tú vida de manera que sea una obligación, con el trabajo, el trauma y drama, el enojo y la intriga. ¿Qué es lo que se va a mostrar en tú vida? Más de lo mismo. Pero si tú comienzas a crear tú vida desde la celebración, diferentes posibilidades se mostrarán.

Cuando mi ex-mujer y yo nos divorciamos, yo me fui de la casa, y me lleve muy pocas cosas conmigo. Me fui con una de las cinco vajillas finísimas que teníamos, un juego de plata de los cinco que teníamos, una sartén, una espátula, una cuchara y el conjunto de herramientas para esculpir que habían pertenecido a mi padre. Me lleve un juego de platos viejos; que a mi ex-mujer no le gustaban, un par de vasos feos que nadie quería y un par de tasas de café que eran más feas que un pecado. Esa fue la suma total de mis accesorios de cocina. Eso fue lo que yo me lleve a mi nuevo hogar.

Guarde la vajilla para celebraciones y fiestas que algún día daría. Estaba seguro de que iba a hacer fiestas para dieciséis personas en mi pequeña mesa redonda, ¿cierto? Y puse la vajilla fea y vieja que había llevado en la alacena de la cocina.

Entonces, un día me di cuenta de eso y dije ~ ¡Espera un minuto! Estoy guardando estas cosas para una fiesta y estoy viviendo de manera paupérrima.

Saque la vajilla fina y dije ~ "Si rompo un bol en la mañana cuando tome mi cereal, me costara 38.00 $USD remplazarlo. Pero, ¿a quién le importa? Cada plato, si los rompo, me costaran 16.00 $UDS por pieza. ¿Y qué? Yo usare mi cubertería de plata esterlina de Georgia. Mis cucharas cuestan 360.00 $USD cada pieza. ¡Y yo lo merezco!"

Salí y me compre vasos de cristal para tomar. No más vasos duros y gruesos que no se rompen incluso si los tirabas al piso. Yo quería algo que cuando yo lo golpeara por accidente hiciera ~ "¡CRASH!"

La vida necesita ser celebrada. Si no estás celebrando tú vida, no la estás viviendo. La vida debe ser una experiencia orgásmica cada día. Tú no deberías vivir soportando lo que tienes que hacer, o con lo que sobra. ¿Pasaras tú vida como un paquete de sobras o te vas a crear a ti mismo como una celebración?

Yo tenía Champagne — no cualquier Champagne barato de mierda — sino un buen Champagne, por lo menos cinco botellas en el refrigerador todo el tiempo. Algunas veces yo tomaba champagne y tarta para la cena, simplemente porque podía.

Si haces de tu vida una celebración, si buscas el gozo de la vida en vez de las depresiones, tú crearás una realidad completamente diferente. ¿No es eso lo que en verdad quisieras tener?

Hoy Debería Ser el Mejor Día de Tú Vida

Cuando fui a la fiesta de los cuarenta años de mi cuñado, todos los hombres estaban en la sala hablando de que la mejor parte de sus vidas fue cuando tenían dieciocho años y estaban en la secundaria. Tenían autos geniales y eran machos y atletas. Todas las mujeres estaban en la cocina hablando de que la mejor parte de su vida fue cuando tuvieron a sus hijos. Cuando llego mi turno, me preguntaron ~ "¿Cuándo fue la mejor época en tú vida?" Yo dije ~ "Hoy, y si no lo es, voy a darme un tiro en la cabeza." No fui muy popular después de eso. ~ Hoy debería ser el mejor de tú vida. ¿Si hoy, no es el mejor día de tú vida, porque carajo estas vivo?

Sólo por Hoy, Mi Vida Será una Celebración.

Recuérdate a ti mismo cada día el hacer de tú vida una celebración. Busca el gozo de la vida. Cada día, di ~ *Sólo por hoy, mi vida será una celebración,* y fíjate en las nuevas posibilidades que vayan mostrándose.

PIDE (PREGUNTA⁷) POR LO GRANDIOSO EN TU VIDA

Pide (Pregunta) y se te Dará, es una de las verdades de la Biblia.

---

7   NdelaT. ~ En Access se trabaja con la pregunta. Ask and you shall receive, se traduce al Español como ~ Pide y se te Dará (cita de la Biblia). En Inglés Ask significa tanto Pedir como Preguntar. Cada vez que pedimos, en Access se refiere más a ~ preguntar. Se ponen los dos términos para recordar esto como una herramienta.

Así qué, ¿Qué es lo que tú vas a pedir (preguntar)? ¿Tú grandeza? Si pides (preguntas) que tú grandeza se muestre, entonces, todo tipo de cosas llegaran junto con ella. Pide (Pregunta) por la grandeza en tú vida. No sólo pidas dinero, porque el dinero no tiene nada que ver con la grandeza de tú vida. Tú sí.

Si tú pides (preguntas) por la grandeza de tú vida, si pides (preguntas) por la grandeza de lo que, Tú Eres, y si pides (preguntas) por qué tú vida sea una celebración, entonces tendrás infinitas posibilidades. Si tú sólo pides (preguntas) dinero, nada se muestra, porque el dinero ~ no es la energía. El dinero es sólo un vehículo que usas para llegar ahí. Pide (pregunta) por tú grandeza.

Si tienes el coraje de preguntar, puedes recibir.

CUANDO TODO SE HA DICHO Y HECHO ¿QUÉ ES LO QUE EN VERDAD TIENES?

Recientemente algunos sobrevivientes de un huracán en la costa del golfo fueron entrevistados en televisión. El entrevistador le pregunto a un tipo cuya casa había sido destrozada ~ "¿Cómo te sientes en relación al huracán?" y el hombre dijo ~ "Bueno sabes, yo me mude al golfo y traje conmigo todas las posesiones que eran valiosas para mí; todas mis fotos familiares, todo lo que yo pensé que era valioso para mí; y ahora todo lo que tengo es una loza de concreto. Todo lo que yo tenía, se fue con el viento. ¿Pero, sabes qué? Todavía me tengo a mi."

Lo mismo ocurrió luego de un gran terremoto en California. El entrevistador de la televisión le pregunto a un tipo ~ ¿Cómo te sientes después del terremoto?" y el hombre le dijo ~ "Mi mujer y yo estábamos en el dormitorio, en un tercer piso de nuestro condominio. Yo me estaba por dormir. No estaba vestido. De repente todo se sacudió fuertemente y aparecí en el piso. No supe donde estaban las cosas, y ahí a lado mío había un par de pantalones cortos, así que me los puse. Mi mujer encontró su bata a lado de ella. Lo único que además pudimos encontrar fue una foto de mi mujer cuando nos casamos. No tenemos idea de donde esta nuestra ropa. No podemos encontrar nada. Pero, ¿sabe qué? Todavía nos tenemos el uno al otro.

Cuando todo se ha dicho y hecho ~ ¿Qué es lo que en verdad tienes? ~ Te tienes ~ A ti.

Tu eres el punto de partida de tú vida. Eres el punto de partida para la creación de tú dinero, tú riqueza, tú poder y todo lo demás. Sin importar cuál sea el desastre, a pesar de lo que se vaya o se pierda, tú siempre te tendrás a ti. Tú eres el punto de partida de todo lo que sucede en tú vida.

TÚ PUEDES CAMBIAR LA FORMA EN QUE EL DINERO FLUYE EN TÚ VIDA

- Separa el 10 por ciento de todo lo que ganes. Da el Diezmo a la iglesia que Tú Eres.

- Lleva grandes cantidades de dinero en tú bolsillo — Pero no lo gastes.

- Haz la pregunta de ~ Percibir, Saber, Ser y Recibir durante varios días — o varias semanas — hasta que comiences a ver un cambio. Es una gran técnica para estar consciente de lo que te está limitando.

- *Percibir, Saber, Ser, y Recibir todo lo que me rehusó, no me atrevo, nunca debo y también debo Percibir, Ser, Saber y Recibir, lo que me permita total claridad con _____.*

- O usa una versión simplificada ~ ¿Qué puedo Percibir, Ser, Saber y Recibir que me permita _____?

- No te juzgues a ti mismo. Entiende que eres humanoide. Eso te da una injusta ventaja frente al resto del mundo. ¡Tómala! ¿Esta tú vida reflejando eso? ¿Tienes enormes cantidades de dinero? Lo tendrás.

- Cuando comiences a juzgarte a ti mismo, pregunta ~ ¿Es esto mío? El noventa y nueve por ciento de tus pensamientos, sentimientos y emociones, no te pertenecen a ti. Tú eres mucho más psíquico de lo que te das crédito. Cuando comiences a preguntarte a ti mismo, ~ ¿Es esto mío? Tendrás la claridad sobre el hecho de que no tienes pensamientos. Tú eres en esencia un cabeza hueca.

- Vive tú vida en Incrementos de Diez Minutos. Si no vives en Incrementos de Diez Segundos ~ No estás viviendo en elección. Si estas constantemente creando en Incrementos de Diez Segundos, no podrás equivocarte, porque por Diez Segundos tú podrás hacer una elección estúpida, y los siguientes Diez Segundos, podrás cambiarlo.

- *Usa los flujos de energía.* Si estas tratando de conectarte con alguien; o quieres que te paguen el dinero que te deben, jala energía de ellos con cada poro de tú cuerpo y de tú Ser, y manda pequeños cordones que vuelvan a ellos de manera que no puedan sacarte de su cabeza. No tendrán paz. Los volverá locos hasta que te paguen.

- Comienza a prestar atención a lo que estas creando. ¿Te hace eso feliz? Si las cosas siguen mostrándose de una cierta manera, hay algo sobre eso que tú amas. Si la vida se sigue mostrando sin dinero, sin amigos, y sin-otras-cosas, es porque hay algo en eso que tú amas y lo creas. Una vez que tú reconoces. ~ *Ok! Yo debo amar esto, no sé por qué, pero bueno, yo lo amo.* Las cosas podrán comenzar a cambiar.

- Vive en la pregunta. La pregunta da poder. La respuesta quita poder. Si lo que estas obteniendo en la vida, no es lo que te gustaría tener, fíjate en lo que en verdad estas pidiendo (preguntando por) y que es lo que estas obteniendo. ¿Cómo cambias eso? Has una pregunta diferente. Cuando haces una pregunta, el universo hace todo lo que puede para darte la respuesta. No es ~ Oh! Dios Mío, mi vida apesta. Sino ~ ¿Cuáles son las posibilidades infinitas de que algo diferente se muestre en mi vida?

- Cuando llegue dinero a tú vida, pregunta ~ ¿Cómo puede mejorar *más aún esto?* Cuando una factura llega a tu vida, pregunta ~ ¿Cómo puede mejorar esto? (Puede que te encuentres con que era una equivocación.) Sigue preguntando ~ ¿Cómo puede mejorar esto? Ya sea que sea algo bueno o sea algo malo y el universo hará lo que pueda para mejorarlo.

- Di ~ *Todo en la vida, llega a mí con Facilidad, Gozo y Gloria.* Ese es nuestro Mantra en Access ~ *Todo en la vida llega a mí con Facilidad, Gozo y Gloria.* No es una afirmación, porque no se trata de tener sólo lo positivo. Esto incluye lo bueno lo malo y lo feo. Y vamos a recibirlo todo con facilidad, gozo y gloria. Nada de eso tiene porque ser, doloroso, con sufrimiento y cruento; aunque esa sea la manera en la que la mayoría de nosotros vive la vida. Tú puedes divertirte para variar.

- ¿Y si el propósito de la vida fuera meramente el divertirse? ~ *Todo en la vida llega a mí, con facilidad, gozo y gloria.* Dilo diez veces en la mañana, y diez veces en la noche y cambiara tú vida.

EL DINERO NO ES EL PROBLEMA, *TÚ LO ERES*

- Ponlo en el espejo de tú baño. Dile a tu pareja que la razón por la que lo pusiste ahí es para acordarte de decirlo. Y cambiara la vida de tú pareja también, simplemente porque lo verá.

- Toma la decisión de que sin importar lo que tenga que pasar, ya no te compraras un viejo Punto de Vista. Ya no vivirás una vida disminuida.

- Crea tú vida, cada día como una celebración. Cada día di - Sólo por hoy, mi vida será una Celebración, y fíjate en las nuevas posibilidades que se irán mostrando.

Nota Para el Lector

La información presentada en este libro es, en realidad, solo una muestra de lo que Access ofrece. Hay un universo más amplio en los procesos y clases de Access. Si hay espacios en los que no puedes hacer que las cosas funcionen en tú vida, de la forma en que tú sabes que podrían ser, es posible que tú estés interesado en asistir a una clase de Access o en comunicarte con un Facilitador de Access que pueda trabajar contigo para darte una mayor claridad en los temas que tú no puedas superar. Los procesos de Access son hechos por un facilitador entrenado, y en ellos se usa tú energía y la de la persona que está trabajando contigo.

Para encontrar a un Facilitador de Access en tú zona, visita el sitio web de Access Consciousness, en el encontrarás un mapa con Facilitadores de Access en todo el mundo, simplemente haces clic en el país o región del mundo en el que te encuentres y accederás a la información de todos los Facilitadores en tú zona.

Para mayor información, visita:

www.accessconsciousness.com

Glosario

Las Barras de Access™

Las Barras de Access son un proceso de imposición de manos que involucra un ligero toque en la cabeza en el que se hace contacto con puntos que corresponden a diferentes aspectos de la vida de cada uno. Hay puntos para el Gozo; la Tristeza, Cuerpo y Sexualidad, Consciencia, Bondad, Gratitud, Paz, y Calma. Hay incluso una Barra para el Dinero. Estos puntos se llaman Barras, porque al tocarlos se forma una Barra que corre de un lado al otro de la cabeza.

Ser

En este libro, la palabra Ser es algo que se usa para referirse a Ti, el Ser Infinito que en verdad Tú Eres, en oposición a un Punto de Vista contractivo que tú crees que eres.

Enunciado Aclarador (POD&POC)

El Enunciado Aclarador que usamos en Access es: Acertado-Equivocado, Bueno –Malo, POD&POC. Todos los Nueve, Cortos, Chicos y Más Allás.

Acertado – Equivocado, Bueno-Malo, es el sumario de - ¿Qué es bueno, perfecto y correcto sobre *esto*? - ¿Qué es lo incorrecto, cruel, tremendo, terrible, malo, y espantoso sobre *esto*? Y ¿Qué es lo acertado-equivocado, bueno y malo de *esto*?

POC es el Punto de Creación de los pensamientos, sentimientos, y emociones inmediatamente precedentes a lo que sea que tú ya decidiste o concluiste.

POD es el Punto de Destrucción inmediatamente precedente a lo que sea que tú, ya decidiste o concluiste. Es como jalar una carta de debajo de una casa de naipes, y al hacerlo, toda la casa cae.

Todos los Nueve se refieren a nueve capas de basura que se quitan. Tú, sabes que en algún lugar de esas nueve capas debe haber un pony porque de otra manera no podrías tener tal cantidad de caca en un solo lugar sin que haya un pony ahí. Esa es mierda que tú has generado por ti mismo, lo que es la parte mala.

Cortos es la versión corta de - ¿Qué es lo significante sobre esto? ¿Qué es lo insignificante sobre esto? ¿Cuál es el castigo por esto? y ¿Cuál es el premio por esto?

Chicos se refiere a las esferas nucleadas. ¿Has visto alguna vez una de esa pipas que lanzan burbujas? Soplas a un lado y se crean una enorme cantidad de burbujas. Explotas una, y aparece otra burbuja.

Más Allás son esos sentimientos o sensaciones que hacen que tú corazón se pare, que hacen que te quedes sin aliento, o que frenan tu disposición a ver las posibilidades. Es como cuando tu negocio está en números rojos y recibes una nota final y dices - ¡Ahgg! Porque no te esperabas eso.

Algunas veces en lugar de decir - "usa el Enunciado Aclarador," decimos simplemente - "POD&POC a todo eso."

Otros Libros

El Lugar
Por Gary M. Douglas

Cuando Jake Rayne viajaba por Idaho en su Clásico Thunderbird 57, un devastador accidente, es el catalizador para una jornada que él no se esperaba. Solo, en el profundo bosque, con su cuerpo destrozado y roto. Jake pide ayuda. La ayuda que él recibe, cambia no sólo su vida, sino toda su realidad. A Jake se le abre la consciencia de las posibilidades; posibilidades que nosotros siempre supimos que deberían estar ahí, pero que aún no se mostraron.

Es un Best Seller de Barnes & Noble.

Siendo Tú, Cambiando el Mundo
Por Dr. Dain Heer

¿Has sabido siempre, que algo COMPLETAMENTE DIFERENTE, es posible? ¿Cómo sería si tuvieras un libro de bolsillo que te guie hacia infinitas posibilidades y cambios dinámicos? Con herramientas y procesos que en verdad funcionan y te invitan a una forma completamente diferente forma de Ser. Para ti y para el mundo. Este libro es un Best Seller en Amazon.

Relaciones de No-Divorcio
Por Gary M. Douglas

¿Cómo sería si no tuvieras que divorciarte de ti mismo con el fin de crear una relación íntima? Este libro contiene herramientas, ejercicios y procesos que podrás usar para ver que no tienes que renunciar a ninguna parte de tú Ser en una relación.

Magia, Tu Lo Eres, Se Eso
Por Gary M. Douglas & Dr. Dain Heer

La Magia trata sobre divertirte para crear cosas que tú deseas. La magia verdadera es la habilidad de tener el gozo que la vida puede ser. En este libro, se presentan herramientas y Puntos de Vista que tú puedes usar para crear consciencia, magia — y cambiar tú vida de una manera que, tal vez no hayas sido capaz de imaginar.

Habla con los Animales
Por Gary M. Douglas & Dr. Dain Heer

¿Sabías que cada animal, cada planta, cada estructura en este planeta tiene consciencia y desea regalarte a ti? Los animales tienen una tremenda cantidad de información y maravillosos regalos que nos pueden dar si nosotros estamos dispuestos a recibir de ellos.

El Sexo No Es Una Palabra de Cuatro Letras, pero una Relación Casi Siempre Lo Es
Por Gary M. Douglas & Dr. Dain Heer

Divertido, franco, y deliciosamente irreverente, este libro ofrece a los lectores una vista enteramente refrescante de cómo crear gran intimidad y sexo excepcional. ¿Cómo sería si pudieras dejar de adivinar — y ver lo que en VERDAD funciona?

¡Correcta Riqueza para Ti!
Por Gary M. Douglas & Dr. Dain Heer

¿Y si generar dinero y tener dinero fuera divertido y alegre? ¿Y si, al divertirte y tener gozo con el dinero, tú recibieras más? ¿Cómo sería eso? El dinero sigue al gozo; el gozo no sigue al dinero, como se mostró en el Show de LifeTime Television's Balancing.

Sobre Los Autores

Gary M. Douglas

El ilustre autor Best Seller y orador internacional, Gary Douglas es pionero en un conjunto de herramientas y procesos de transformación de vida conocido desde hace más de 20 años, como Access Consciousness®.

Estas herramientas de vanguardia han transformado la vida de cientos de personas alrededor de todo el mundo. De hecho su trabajo se ha expandido a más de 47 países y cuenta con más de 2000 facilitadores mundiales entrenados. Estas herramientas, simples y muy efectivas, facilitan a personas de todas las edades y entornos a remover limitaciones que les están impidiendo tener una vida plena.

Gary nació en el Medio-Oeste de los EE.UU- y se crio en San Diego, California. Formo parte de en una familia "normal" de clase media, y desde muy temprano estuvo fascinado con la psique humana; este interés fue transformándose en un deseo de ayudar a las personas a "saber que saben" y a expandir más su consciencia, gozo y abundancia. Estas herramientas, pragmáticas, que él ha desarrollado no están siendo usadas únicamente por celebridades, corporaciones y maestros, sino también por profesionales de salud (como psicólogos, quiropractas, y naturistas y médicos) para mejorar la salud y el bienestar de sus clientes.

Previamente, antes de crear Access Consciousness® Gary Douglas, fue un exitoso Corredor de Bienes Raíces en Santa Bárbara, California; y también tiene una Licenciatura como Psicólogo. A pesar de haber alcanzado una riqueza material y ser considerado como alguien *"exitoso"*, su vida dejo de tener significado para él; así que él comenzó su búsqueda, y encontró una nueva forma avanzada que pudiera crear cambio en el mundo y en la vida de las personas.

Gary es el autor de 8 libros entre los que se incluye la novela Best Seller ~ "El Lugar". En ella él describe la inspiración detrás de la escritura ~ *"Yo quise explorar las posibilidades de ver como podría ser la vida. Una vida que les permita a las personas saber que en realidad no es necesario vivir con envejecimiento; locura, estupidez, intriga, violencia, demencia, y el trauma y drama en el que vivimos, como si no tuviéramos una elección. "El Lugar" es para que las personas sepan que todo es posible. La elección es la fuente de la creación. ¿Cómo sería si nuestras elecciones pudieran ser cambiadas en un instante? ¿Cómo sería si nosotros pudiéramos hacer las elecciones más reales que las decisiones y los puntos estancados que nos compramos como reales?*

Gary tiene un increíble nivel de consciencia y cuidado por todos los seres vivos, *"Yo quisiera que las personas tomen consciencia, sean más conscientes y se den cuenta; que somos nosotros los que tenemos que ser los custodios de la tierra, y no ser los que usamos y abusamos de la tierra. Si comenzamos a ver las posibilidades de lo que está disponible para nosotros, en lugar de intentar crear nuestro pedazo del pastel, podríamos crear un mundo diferente."*

Un vibrante abuelo de 70 años (*ajeno a la "edad"*) con una visión muy diferente de la vida; Gary cree que nosotros estamos aquí para expresar nuestra individualidad y experimentar la facilidad y gozo del vivir.

El continúa inspirando a otros, enseñando alrededor del mundo y haciendo una masiva contribución al planeta. El proclama abiertamente que, para él – *"la vida, solo está comenzando"*.

Gary tiene además una gran gama de negocios e intereses personales. Los mismos incluyen: su pasión por las antigüedades *(Gary estableció "La Sociedad de Antigüedades en Brisbane, Australia el año 2012.)* Su pasión por montar enérgicos sementales y la cría de caballos De Paso, Costarricenses, así como un retiro ecológico en Costa Rica que fue abierto el año 2014.

Para mayor información sobre él, por favor visita:

www.GaryMDouglas.com

www.AccessConsciousness.com

www.CostarricensePaso.com

Dr. Dain Heer

El Dr. Dain Heer es un orador internacional, autor de Best Seller y Facilitador de las Clases Avanzadas de Access Consciousness™ alrededor del mundo. Su único y transformador punto de vista sobre el Cuerpo; Dinero, Futuro, Sexo y las Relaciones, trasciende todo lo que se haya dicho sobre eso hasta ahora.

El Dr. Dain Heer inspira e invita a las personas a una mayor y más grandiosa consciencia, desde una total permisión, cuidado, humor y un saber más profundo.

El Dr. Heer comenzó su trabajo como Quiropracta en internet, el año 2000 en California, USA. El llego a Access Consciousness™ en un momento en su vida en el que él estaba profundamente infeliz e incluso había planeado suicidarse.

Cuando ninguna de las otras modalidades y técnicas que el Dr. Heer había estado estudiando le daban el resultado duradero o un cambio, Access Consciousness™, lo cambio todo para él y su vida comenzó a expandirse y a crecer con más facilidad y rapidez de lo que él incluso pudo imaginar fuera posible.

El Dr. Heer viaja actualmente por todo el mundo, facilitando clases avanzadas de Access y ha desarrollado un proceso único de cambio energético individual y/o grupal llamado *Síntesis Energética del Ser*. Él, tiene un enfoque totalmente diferente sobre la sanación misma, y enseña a las personas a que den el salto y reconozcan sus propias habilidades y saber.

La transformación energética rápida es posible, y es — verdaderamente dinámica.

Para mayor información, por favor visita:

www.DrDainHeer.com

www.BeingYouChangingTheWorld.com

www.BeingYouClass.com

Sobre Access Consciousness®

Access Consciousness™ es un programa de transformación energética que enlaza conocimiento experimentado, saber ancestral y energías canalizadas con elevadas herramientas contemporáneas de motivación. Su propósito es la de liberarte y darte acceso a tú más verdadero y elevado Ser.

El propósito de Access es el de crear un mundo de Consciencia y unicidad. La Consciencia lo incluye todo y no juzga nada.

Nuestro objetivo es facilitarte a ti, hasta el punto en el que tú recibas la toma de consciencia de todo, sin juicio de nada. Si no juzgas nada, entonces tú puedes ver todo, por lo que ~ Es ~ no por lo que tú quieres que sea, ni por lo que debería ser, sino simplemente por lo que ~ Es.

La Consciencia es la habilidad de estar presente en tú vida en cada momento, sin juzgarte a ti o a alguien más. Es la habilidad de recibir todo, no rechazar nada, y crear todo lo que tú deseas en la vida con mayor grandiosidad, y más de lo que tú te puedas imaginar.

- *¿Cómo sería si estuvieras dispuesto a nutrirte y a cuidar de ti?*

- *¿Cómo sería si abrieras las puertas a Ser todo lo que tú has decidido que no es posible Ser?*

- *¿Qué tendría que pasar para que comprendas cuan crucial eres tú, para las posibilidades del mundo?*

La información, herramientas y técnicas presentadas en este libro, son únicamente una pequeña parte de lo que Access Consciousness™ tiene para ofrecer. Hay, un universo completo de procesos y clases disponibles.

Si hay espacios en tu vida en los que tú no puedes hacer que las cosa funcionen como deberían, entonces es posible que te interese asistir a alguna clase o taller de Access Consciousness™ o tal vez quieras encontrar a un facilitador de Access Consciousness™. Ellos pueden trabajar contigo para darte una mayor claridad sobre los temas que tú aun no has superado.

Los procesos de Access Consciousness® se hacen con un facilitador y tienen como base tú energía y la de la persona con la que estás trabajando.

Visita y explora más en:

www.AccessConsciousness.com

Clases y Seminarios de Access

Si te gusto lo que leíste en este libro, y te interesa asistir a Seminarios, Talleres o Clases, a continuación podrás ver lo que está disponible.

Las Barras de Access™

¿Recuerdas el último momento en tu vida en el estuviste totalmente relajada, cuidada y en el que te hayan dado cariño? ¿O ya ha pasado demasiado tiempo desde que tú recibiste sanaciones y cariño sin ningún juicio hacia tu cuerpo y hacia tu Ser?

La primera clase de Access son las Barras. ¿Sabías que hay 32 puntos en tu cabeza en los que, cuando se los toca suavemente, sueltan fácilmente y sin esfuerzo cualquier cosa que no te permite recibir? Estos puntos contienen todos los pensamientos ideas, creencias, emociones y consideraciones que tú hayas almacenado durante esta o cualquier otra vida. ¡Esta es una oportunidad para que dejes ir todo!

Cada sesión de Barras puede liberar entre 5 a 10 mil años de limitación en áreas de tu vida que corresponden con las Barras específicas que se están tocando. ¡Este es un proceso increíblemente cariñoso y relajante, que deshace limitaciones en todos los aspectos de tu vida que estés deseando cambiar!

¿Cuánto de tu vida te la pasas haciendo, en lugar de recibir? ¿Has notado que tu vida todavía no es lo que quisieras que fuera? ¡Tú puedes tener todo lo que deseas (y mucho más) si estás dispuesto a recibir mucho más y tal vez hacer algo menos! ¡El recibir y aprender las Barras te permitirá que esto y mucho más afloren para ti!

Las Barras han ayudado a miles de personas a cambiar muchos aspectos de su cuerpo y su vida, incluyendo el ayudarlas a dormir, su salud y su peso. Asimismo en temas como ¡el dinero, sexo, sus relaciones, la ansiedad, el estrés y mucho más! En el peor de los casos te sentirás como si acabaras de recibir el mejor masaje de tu vida. En el mejor de los casos toda tu vida puede cambiar hacia algo más grande con total facilidad.

El tomar los Barras es un pre-requisito para todas las clases de Access Consciousness ya que permite que tu cuerpo procese y reciba los cambios que vayas a elegir, con facilidad.

Duración: 1 día

Pre-requisitos: Ninguno

Fundamentos y Nivel 1

¿Te has dado cuenta de que esta realidad no siempre funciona para ti? ¿Estás buscando llaves que desbloqueen las limitaciones de esta realidad y te permitan acceder a las infinitas posibilidades para realmente tener todo lo que realmente deseas en la vida?

Access Consciousness es un sistema pragmático para funcionar más allá de las limitaciones de un mundo que no funciona para ti. Al ver los temas de la vida desde una perspectiva diferente, se hace fácil el cambiar todo. En todo aquello que te está limitando, debes estar funcionando desde algún punto de anti consciencia o inconsciencia. ¿Así que, que puedes elegir en vez de eso?

Las clases de Fundamentos de Access son para salir de la matriz de esta realidad. Comenzarás a desvelar los Puntos de Vista que te limitan, y que si los cambias te permitirán la posibilidad de funcionar desde la pregunta, elección, posibilidad, y contribución.

En la Clase de Nivel 1 descubrirás como crear tú vida, en verdad, como tú la deseas. Esta clase te dará incluso una mayor consciencia de ti mismo como Ser Infinito y de las infinitas elecciones que tienes disponibles. Te sentirás excitado por las posibilidades de - "¿Qué más es posible?"

Estas dos clases puedes tomarlas juntas o por separado con alguno de los facilitadores certificados de Access Consciousness. Obtendrás herramientas prácticas para la vida real, incluyendo algunos procesos de imposición de manos para el cuerpo. La mayor potencia es la capacidad de cambiar y transformar todo y cualquier cosa.

Duración: 4 días para las dos clases,

(2 días para la Clase de Fundamentos y 2 días para la Clase de Nivel 1)

Pre-requisitos: Haber tomado la Clase de Barras y la Clase de Fundamentos para hacer Nivel 1.

Nota: Es recomendable que tomes las Clases de Fundamentos y Nivel 1, juntas, ya que funcionan de manera conjunta. Los Manuales de Fundamentos y Nivel 1 son cambiados por lo menos cada 6 meses. Si tú elijes tomar el Nivel 1 después de que los Manuales de las Clases hayan sido revisados, entonces tú tendrás que repetir la clase de Fundamentos.

Niveles 2&3

Estas dos clases son facilitadas únicamente por el Fundador de Access Consciousness, Gary Douglas o el Dr. Dain Heer. Durante estos cuatro días ganaras acceso a un espacio en el que comenzaras a reconocer tus capacidades como Ser Infinito.

En cuanto comiences a reconocer lo diferente que tú eres, comenzaras a estar consciente de las elecciones que haces, las elecciones que quisieras hacer, y como que te gustaría generar tu vida con facilidad… financieramente, en tus relaciones, en tu trabajo y más allá.

El generar tu vida es diferente a crearla. Para que la creación ocurra, siempre tiene que haber destrucción. El generar tú vida es un incremento de momento a momento de lo que es posible en tu vida. Cuando dejas de crear desde tu pasado puedes empezar a generar un futuro que es ilimitado. ¿Cómo sería si el tener la sensación de las posibilidades pudiera remplazar los juicios de todos esos espacios en los que piensas que estas en lo correcto o lo incorrecto?

¿Qué otra cosa te gustaría añadir a tu vida? ¿Y qué catalizador para el cambio puedes ser en el mundo si soltarás a tu verdadero Yo? ¿Estarías dispuesto a funcionar desde la energía, espacio y consciencia que en verdad eres? ¿Y estarías dispuesto a ser más de ti mismo de lo que jamás has sido? ¿Con facilidad, gozo y gloria? ¿Y tal vez un poco de felicidad también?

Duración: 4 días (dos días para el Nivel 2 y dos días para el Nivel 3)

Pre-requisitos: Barras de Access, Clases de Fundamentos y Nivel 1.

Clase de Cuerpo de Access

¿Y si tu cuerpo fuera una brújula o guía de los secretos, de los misterios y de la magia de la vida?

La Clase de Cuerpo de Access™ fue creada por Gary Douglas y el Dr. Dain Heer. Es Facilitada por Facilitadores Certificados en Clase de Cuerpo de Access Consciousness™. Durante estos tres días tú recibirás y darás numerosos procesos corporales con imposición de manos, que liberaran la tensión, resistencia, y enfermedad del cuerpo al cambiar dinámicamente la energía. Hay más de 60 procesos de imposición de manos, así como un montón de procesos verbales en el Manual de Clase del Cuerpo que te permitirá hacer frente a la mayoría de los problemas que existen hoy en los cuerpos.

Las personas que han asistido a la Clase de Cuerpo de Access han informado sobre cambios dramáticos en el tamaño y forma de sus cuerpos, un alivio total de dolores crónicos y agudos; además sus relaciones personales y problemas de dinero al parecer han mejorado también.

La Clase de Cuerpo de 3 días de Access™ está diseñada para abrir un dialogo y crear una comunión entre tus cuerpos que te permita disfrutar de tu cuerpo en vez de pelear contra él y abusarlo. Cuando empiezas a cambiar la forma en que te relacionas con tu cuerpo, empiezas a cambiar la forma en la que te relacionas con todo en tu vida.

¿Tienes un talento o habilidad para trabajar con los cuerpos que todavía no has desbloqueado? ¿Qué es lo que tú sabes? ¿O eres un terapeuta de Cuerpo –terapeuta de masajes, quiropráctico, medico, enfermera –buscando una forma de mejorar la terapia de sanación que puedes hacerles a tus clientes? Ven a jugar con nosotros y comienza a explorar como comunicarte y relacionarte con los cuerpos, incluido el tuyo, en muy diferentes maneras.

Duración: 3 días

Pre-requisitos: Clases de Barras de Access, Fundamentos y Nivel 1.

Clases de Avanzadas de cuerpo de Access

Con Gary Douglas

Esta clase ofrece un conjunto único de procesos nuevos que han sido creados para darle a tu cuerpo la posibilidad de ir más allá de las limitaciones de esta realidad.

¿Qué tal si pudieras desbloquear las limitaciones que tienes en tu cuerpo que están actualmente creando una alteración en el modo en que tu cuerpo funciona, de tal manera que él pueda ser mucho más eficiente y también menos necesitado de las definiciones de la gente como las mejores de esta realidad?

¿Qué tal si la comida, los suplementos y los ejercicios en realidad no tienen nada que hacer en cómo funciona en verdad tu cuerpo? ¿Qué tal si pudieras tener facilidad, gozo y comunión con tu cuerpo mucho más allá de lo que se considera posible ahora? ¿Estarías dispuesto a explorar las posibilidades?

Duración: 3 Días

Pre-requisitos: Hasta los Niveles 2&3 y Haber tomado 2 veces la Clase de Cuerpo de Access

Evento de 7 Días

¿Te has preguntado alguna vez que hay más allá de las limitaciones de esta realidad? ¿Eres un aventurero y un buscador eterno de más grandiosas posibilidades? ¿Estás dispuesto a hacer preguntas que nunca hayas considerado antes? ¿Y estas listo para recibir más cambios de los que has imaginado? ¡Si es así el evento de 7 días puede ser para ti!

Esta clase que es -solo por invitación y se lleva a cabo dos veces al año en hermosos lugares alrededor del mundo a cargo del Fundador de Access Consciousness™ Gary Douglas. Para ser invitado, tienes que haber asistido por lo menos a una clase de Nivel 2y3 en persona.

Estas clases no tienen reglas, forma o estructura. Gary hablara y hará procesos sobre cualquier tema sobre el que se pregunte. No se rechaza ninguna pregunta y ningún tema es penalizado; todo se incluye. Esta es una clase en la que logras explorarte a ti y a las infinitas posibilidades para expandirte, en íntimo detalle y con una honestidad brutal.

No hay ninguna clase o evento ofrecido como este en ninguna parte del mundo. Esta es una experiencia única de cambio de vida.

Para aquellos de ustedes con el coraje y el deseo de hacer cambios fenomenales en cualquier área de la vida que sea posible. No esperes venir a un evento de 7 días y salir igual que cuando empezaste. ¿Es tiempo de remover la olla?

Duración: 7 días

Pre-requisitos: Barras de Access, Fundamentos y Nivel 1, Niveles 2 y 3 (La asistencia es presencial)

Clases con Dr. Dain Heer

Siendo Tú, Cambiando el Mundo – El Inicio

Clase de una tarde creada y Facilitada por Dr. Dain Heer

¿Eres un soñador? ¿Estás siempre pidiendo o preguntando por más, queriendo Ser más, y buscando algo que todos nosotros sabemos que es posible? ¿Qué tal si ese algo Eres Tú? ¿Qué tal si Tú, Siendo Tú, es todo lo que se necesita para cambiar TODO en tú vida, a todos alrededor tuyo y en el mundo?

El Dr. Dain Heer es un orador internacional, autor y facilitador de las Clases y Talleres Avanzados de Access Consciousness a nivel mundial. Su último libro, *Siendo Tú, Cambiando el Mundo* ha sido publicado en 2011 y las Clases de SIENDO TÚ, han sido construidas bajo la dinámica y pragmatismo y perspectivas de ese libro.

No se trata de ser exitoso o de hacer las cosas mejor… sino sobre dar el paso hacia las increíbles posibilidades para TI. ¿Es ahora el momento de empezar a crear la vida que tú en verdad deseas? Esta clase de una tarde puede poner toda tu realidad de cabeza… ¿estás listo para eso? Estas horas con Dr. Dain Heer te van a dar herramientas tangibles, prácticas y dinámicas que comenzaran a cambiar las cosas en tu vida que no están funcionando para ti.

¿Y si pudieras hablar con tu cuerpo y pedirle que se sane? ¿Y si el dinero es en realidad sobre recibir? ¿Qué tal si hay ahí un paradigma totalmente diferente para las relaciones que está basado en el gozo, la gratitud y la permisión? ¿Qué sería posible si tú crearas tú futuro, saber y realidad sabiendo lo que es verdad para ti?

En esta clase vas a explorar las energías de vivir a través de las herramientas de Access Consciousness™ y los procesos de transformación únicos de Dain. La Síntesis Energética del Ser. Durante esta clase de una tarde tú podrás probar lo que el Ser Tú es, y que es imposible de describir y que no encontrarás en ninguna otra parte… ¡bienvenido a un comienzo MUY diferente!

Duración: 3 horas en la tarde

Pre-requisitos: Ninguno

www.beingyouclass.com

Siendo Tú, Cambiando el Mundo –
Clase de 3.5 días -Taller Intensivo
Creado y facilitado por Dr. Dain Heer

El Dr. Dain Heer es un orador internacional, autor y facilitador de las Clases y Talleres Avanzados de Access Consciousness a nivel mundial. Su último libro, *Siendo Tú, Cambiando el Mundo* ha sido publicado en 2011 y las Clases de SIENDO TÚ, han sido construidas bajo la dinámica y pragmatismo y perspectivas de ese libro.

Esta clase puede cambiar totalmente la forma en la que funcionas en el mundo y darte una totalmente diferente perspectiva de SER. Esto pasa al acceder a tu Saber, al incrementar dinámicamente tu consciencia para que incluyas todo lo que tú eres, y no juzgar nada de ello. Te provee con un conjunto de herramientas tangibles, prácticas y dinámicas que pueden cambiar todo lo que no está funcionando para ti incluyendo tu dinero, realidad, relaciones y salud.

Prueba estas preguntas para comenzar a pensar diferente sobre tú Ser:

¿Y si pudieras hablar con tu cuerpo y pedirle que sane?

¿Y si el dinero fuera en realidad sobre recibir?

¿Qué tal si en realidad hay ahí un paradigma totalmente diferente sobre las relaciones que está basado en el gozo y la permisión? ¿Qué sería posible si tú crearas tú futuro, sabiendo lo que realmente es verdad para ti?

Este curso te llevará hacia una consciencia expandida para que sepas que una verdad sin juicio está disponible para ti y que tú puedes crear la vida que en verdad tú deseas, si así lo eliges. Se te enseñarán las herramientas de Access Consciousness™, así como los dinámicos procesos de transformación energéticos del Dr. Dain llamado –Síntesis Energética del Ser™. En esta clase, Dain, dictará además la Clase de Barras de Access™; esta clase puede contar como parte de los requisitos para convertirte en un Facilitador de Clase de Barras. En el transcurso de los días de esta Clase intensiva, recibirás una experiencia de Ser Tú, que es imposible de describir, que no encontraras en ninguna otra parte y que se quedará contigo para el resto de tú vida.

Por favor ten en cuenta que esta clase puede cambiar radicalmente la forma en la que funcionas en el mundo. ¿Estás listo para eso? Juntos con el grupo, tú vas a explorar las energías del vivir. La verdad es que tú eres la única persona que está creando tú realidad. ¿Qué pasaría si finalmente pudieras soltar el piloto automático que maneja tu vida? ¿Hay tantas cosas disponibles para ti y de ti que van más allá de tus más descontrolados o salvajes sueños?

¡Bienvenido a una Clase totalmente diferente!

Duración: 3 días y medio

Pre-requisito: Ninguno

www.beingyouclass.com

La Síntesis Energética de Ser™ (ESB) – El Inicio
Clase de una tarde creada y facilitada por el Dr. Dain Heer

¡Esta clase es diferente a cualquier otra en el planeta! En esta clase de apertura, el Dr. Dain Heer invita a ti y todos los demás presentes a saber lo que sabes y a comenzar a contribuir a la posibilidad real de cambio, expansión y consciencia para ti, y para todos a tú alrededor y el planeta.

La Síntesis Enérgica Del Ser ™es una forma única de trabajar con energía, grupos de personas y sus cuerpos simultáneamente, creado y facilitado por Dain.

Durante la clase de Inicio, Dain te mostrará lo que es posible en la Clase intensiva de 3 días y medio. Él trabaja simultáneamente en el Ser y en los Cuerpos en la clase para crear un espacio que permite el cambio que piden para llegar a Ser. Al trabajar en uno, toda la clase está invitada a esa diferencia.

El resultado es una onda acústica que invita a una sensación de paz y espacio que abarca a toda la clase y contribuye a una vida más consciente y un planeta más consciente. Al elegir esta clase, se van abriendo puertas: las puertas al cambio, a la consciencia y a un universo de unicidad y consciencia.

Comienzas a recibir energías que siempre supiste que estaban disponibles, pero a las que no tenías acceso antes. Descubrirás que ya no tienes que esconderte, divorciarte de ti o ir en contra de lo que funciona para ti y de lo que sabes es verdad para ti.

Al Ser estas energías; Tú, Siendo Tú, cambias todo; cambia el planeta, tu vida y a todos los que entran en contacto contigo. ¿Qué más es posible entonces? ¿Estarías dispuesto a venir a la aventura y descubrir cómo es para ti?

Duración: Clase de una tarde de aprox. 3 horas

Prerrequisitos: Ninguno

Síntesis Energética Del Ser ™ *(ESB)*
Clase Intensiva de 3 Días
Creada y Facilitada Por Dr. Dain Heer

Este es un Taller único en consciencia y cambio energético que está totalmente indefinido y se recrea a sí mismo en cada momento con cada persona, cada energía, que se muestra.

ESB es una forma única de trabajar con energía, grupos de personas y sus cuerpos. Durante esta clase avanzad de 3días, Dain funciona simultáneamente con los seres y cuerpos en la clase para crear un espacio que permite el cambio que piden llegar a ser. Al trabajar con una persona, toda la clase está invitada a esa diferencia.

"ESB es una forma de utilizar la magia que tenías cuando eras niño para cambiar todo lo que deseas cambiar como adulto. Se hace creando una conexión entre el cuerpo, y el Ser con todo a tu alrededor de tal manera que puedas recibir la contribución del mundo a tu alrededor; y al hacerlo, te des cuenta que no hay nada malo en ti y puedas cambiar muchas de las cosas en tu cuerpo que tú quieras cambiar". *Dain Heer.*

Durante esta clase, Dain te invita a ti y a todos los presentes a Saber lo que Saben y a comenzar a contribuir a una posibilidad real de cambio, expansión y consciencia para ti, y para todos a tú alrededor y el planeta. Comienzas a acceder a todo lo que está realmente disponible para ti, como el Ser Infinito que eres, a que tomes consciencia del catalizador que eres para una posibilidad diferente - y que puedes elegir la totalidad de estar completamente vivo y encarnado.

El resultado es una onda acústica que invita a una sensación de paz y espacio que abarca a toda la clase y contribuye a una vida más consciente con más consciencia del planeta de aquí en adelante...

Se ha añadido una nueva sección a esta clase donde Dain invita a trabajar con los demás, explorar lo que él llama la Sinfonía Energética del Ser. En esta parte, cada uno de los participantes suma con su saber y la energía que será la energía ESB para crear algo nuevo y sorprendente que nunca se ha visto en este mundo. ¿Qué contribución sería esta clase para ti? ¿Qué contribución podrías Tú Ser para esta clase? ¿Qué cambio podemos crear en el mundo?

Comenzarás a recibir las energías que siempre supiste que estaban disponibles, pero a las que no tenías acceso antes. Descubrirás que ya no tienes que esconderte, ni divorciarte de ti, ni ir en contra de lo que funciona para ti y de lo que sabes es verdad para ti. Al tener acceso a todas las energías del universo - Siendo Tú, cambia todo; el planeta, tu vida y todos los que entren en contacto contigo.

¿Qué más es posible entonces? ¿Estarías dispuesto a venir a la aventura y descubrir cómo se muestra para ti?

Esto es sólo el comienzo de algo mayor que jamás te atreviste a imaginar...

¿Estás listo?

Duración: 3 días

Pre-requisitos: Barras de Access ™, Fundamentos y Nivel 1

Sinfonía de Posibilidades – El Inicio

¿Y si tú fueras el compositor de tú realidad? ¿Qué pasaría si tú tuvieras la capacidad de Ser el Maestro de tú Universo? ¿Es este el momento de convertirte en lo que siempre estuviste destinado a Ser?

Déjame introducirte a la ~ Sinfonía de Posibilidades ~ un Taller Avanzado de 3 días y medio donde tomarás consciencia de energías y aprenderás a realmente utilizarlas para crear tú vida, y vivir en una realidad totalmente diferente.

¿Estás consciente de que tus capacidades con la energía son únicas? ¿Te das cuenta de que la forma en la que tú resuenas con el mundo es un regalo fantástico, fenomenal y un regalo absoluto? ¿Estás listo para dar el paso hacia SER todo eso ahora?

¿Qué pasaría si NOSOTROS, vibrando acústicamente tal cual nosotros mismos, creáramos una Sinfonía de Posibilidades que cambiaría al mundo y al planeta?

Pre-requisitos: Ninguno

Incluye: Todos los participantes recibirán una grabación de la clase en formato MP3 descargable, con todos los procesos. Mientras más los escuches, más dinámicas serán las posibilidades de cambio.

Sinfonía de Posibilidades –

Entrenamiento Avanzado con Dr. Dain Heer

¿Cómo sería si tú fueras el compositor de tú realidad? ¿Qué pasaría si tú tuvieras la capacidad de ser el Maestro del Universo? ¿Es este el momento de convertirte en lo que siempre estuviste destinado a Ser?

Déjame introducirte a la ~ Sinfonía de Posibilidades ~ un Taller Avanzado de 3 días y medio donde tú tomas consciencia de energías y aprendes a realmente utilizarlas para crear tú vida, para vivir en una realidad totalmente diferente.

¿Estás consciente de que tus capacidades con las energías son únicas? ¿Te das cuenta de que la forma en la que tú resuenas con el mundo es un regalo fantástico, fenomenal y un regalo absoluto? ¿Estás listo para dar el paso hacia el SER a todo eso ahora?

¡Este es un entrenamiento como ningún otro! Dain usa el proceso de transformación de energía de ~ Síntesis de Energía del Ser, para abrir el espacio a las posibilidades infinitas y te invita a descubrir tus capacidades al trabajar energéticamente en otras personas en la clase.

Con la guía de Dain y en conjunto con todo el grupo, tú comienzas a acceder a todo lo que está disponible para ti. ¿Qué pasaría si nosotros al vibrar acústicamente tal cual nosotros mismos, creáramos una Sinfonía de Posibilidades que cambiaría al mundo y al planeta?

¿Es ahora el tiempo para actualizar una realidad totalmente diferente? ¿Es ahora el momento de dar el paso a la consciencia de lo que en verdad es posible? ¿Es ahora el momento de cambiar el mundo tan solo con tu toque? ¡Sí! Entonces esta clase puede ser lo que tú has estado buscando desde hace mucho tiempo.

Pre-requisitos: Barras, Fundamentos, Nivel 1, Niveles 2&3 y la Clase de Síntesis Energética del Ser™ (ESB) 3 Días Intensivo

Incluye: Todos los participantes recibirán una grabación de la clase en formato MP3 descargable, con todos los procesos.

Mientras más los escuches, más dinámicas serán las posibilidades de cambio.

Por favor ten en cuenta: Esta Clase es un pre-requisito para convertirte en Facilitador desde Diciembre 2013.

Acompáñanos en las Charlas Globales Mensuales de ESC con el Dr. Dain Heer

¿Y si tuvieras al menos un día cada mes en el que tú pudieras jugar en un espacio y energía de total comunión con la tierra, con tú cuerpo, y con las energías de otras personas en el mundo?

Las **Charlas Globales Mensuales de ESC – Síntesis Energética de Comunión** con el Dr. Dain Heer son una invitación a dar un paso más hacia SER la Energía y Espacio que tú nunca antes has sido – cada mes. En ellas siempre hay algo más disponible – más conexión con la tierra, con tu vida y con tu cuerpo. Esta es una Serie de Tele-Charlas como no hay otra…

"Me sentí conectado con todo, con todos en la Charla, con las moléculas que estaban alrededor mío y con todos en el mundo. Fue como ser capaz de invitar a todos en el mundo a la vibración de la unicidad"
- Stephanie -

¿Qué es el ESC?

Podrías llamarla un tipo de Meditación, si necesitas darle una palabra. Nosotros sugerimos que pongas tu teléfono en altavoz, te recuestes, y comiences a Percibir, Recibir, y Ser las energías de Comunión y de todos los Seres en la Charla. Y si tú estás dispuesto, tal vez con todo el universo, comenzando con este hermoso planeta nuestro.

"Yo, a propósito no defino esto... ¡es únicamente cuando tú defines algo que tú lo limitas! Dain Heer.

¿Cómo funciona?

¡Es muy fácil! Esta es una charla mensual con membresía, en la que puedes seguir hasta que elijas no hacerlo. La información para conectarte con la charla se te enviará un domingo antes de la llamada. Si no se informa de algún cambio.

Tú puedes mandar preguntas a Dain antes de la charla para que él se refiera a las experiencias que tú estás teniendo en tú vida y se estén notando en el mundo. Puedes llamar de un teléfono fijo, por Skype o escuchar la charla en línea por internet. Si no puedes estar en la charla, podrás escucharla días más tarde.

Que es lo que recibirás...

Una hora en vivo de aventura con la Síntesis Energética de Comunión vía internet o por teléfono con Dr. Dain Heer cada mes.

Una grabación descargable del ESC incluyendo la grabación de las preguntas y respuestas y una grabación adicional únicamente con la parte de la sesión del ESC.

¿Cómo te inscribes?

La membrecía tiene un costo mensual de 120.00 $USD y puedes comprarla en nuestra tienda:

www.tinyurl.com/dainheer-esc

Conectate Con Access Por Internet

www.AccessConciousness.com

www.GaryMDouglas.com

www.DrDainHeer.com

www.BeingYouChangingtheWorld.com

www.YouTube.com/drdainheer

www.Facebook.com/drdainheer

www.Twitter.com/drdainheer

www.Facebook.com/accessconsciousness

www.RightRecoveryForYou.com

www.AccessTrueKnowledge.com